an inter

It

Support Book

2nd edition

Support Book

Mariolina Freeth and
Giuliana Checketts

2nd edition

Hodder Arnold

A MEMBER OF THE HODDER HEADLINE GROUP

Acknowledgements
The publishers would like to thank RAI for permission to reproduce material in Unità 8.

Orders: please contact Bookpoint Ltd, 78 Milton Park, Abingdon, Oxon OX14 4SB. Telephone: (44) 01235 827720, Fax: (44) 01235 400454. Lines are open from 9.00–6.00, Monday to Saturday, with a 24 hour message answering service. You can also order through our website www.hoddereducation.co.uk

British Library Cataloguing in Publication Data
A catalogue record for this title is available from The British Library

ISBN-10: 0 340 91260 X
ISBN-13: 978 0 340 91260 7

First published 2000
Second Edition Published 2006

Impression number	10 9 8 7 6 5 4 3 2 1
Year	2010 2009 2008 2007 2006

Typeset by Transet Limited, Coventry, England.
Printed in Great Britain for Hodder Arnold, an imprint of the Hodder Headline Group, 338 Euston Road, London, NW1 3BH by CPI Bath.

Contents

Key to exercises

Unità 1

■ 2

NOME **Paese di origine**	RESIDENZA **Dove**	**Da/per quanto tempo**	SOGGIORNI ALL'ESTERO **Dove**	**Per quanto tempo**	MOTIVO
Michael inglese Russia Lettonia	Londra	da sempre	Perugia Italia Francia America Cina	4 mesi 3 mesi spesso	studio vacanze lavoro
Sergio	Inghilterra	da 4 mesi (Canada Italia Spagna	America (1 anno 1/2) 3 anni 3 mesi	2 anni studio	turismo
Rossana Torino, Italia	Liverpool Praga	molti anni 3 mesi, 1960	Francia Germania	1983, 1 mese	studio
Elena Modena, Italia	Londra	prima volta	Yugoslavia, Austria	vacanza	

■ 3a

(Sample answers)

abbiamo dormito – per un'ora/ per dodici ore

non vado in Italia da circa un anno

non mi telefona da tre giorni

il ministro ha parlato – per un'ora

■ 4a

A (**Michael**) ha vissuto ... ha studiato ... ha viaggiato ... è stato ...

B (**Sergio**) è tornato ... ha studiato ... è andato ... si è fermato ...

■ 4b

Marco Polo

5a

(Sample answers)

- C'è un biglietto aereo, un biglietto di treno, un biglietto di bus (Pisa) e un biglietto di funivia (Taormina).
- C'è un biglietto d'ingresso a una piscina;
- Ci sono biglietti d'ingresso per Castel del Monte (Puglia), il Teatro Romano di Verona; il museo della Ferrari;
- C'è un depliant dell'Hotel Luna, Amalfi;
- C'è il menù dell'Eurostar
- C'è la fotografia di una bambina piccola
- C'è un depliant dell'opera *La Traviata*.

5b

(Sample answers)

- È partito in aereo da Roma.
- Ha viaggiato molto in Italia.
- È stato a Firenze; a Pisa; a Perugia; a Modena; a Verona; a Amalfi; a Taormina e a Roma.
- Ha viaggiato in treno; in aereo; in bus e in funivia.
- Ha visitato il Teatro Romano di Verona; il museo della Ferrari a Modena e Castel del Monte.
- Ha mangiato al ristorante dell'Eurostar.

5c

(Sample answers)

- Gli interessano le macchine da corsa/le Ferrari.
- Gli piace visitare i musei d'arte e quelli automobilistici.
- Gli piacciono i bambini.
- Gli piace nuotare.

5d

interessante – noioso
pratico – romantico
normale – misterioso
socievole – solitario
colto – ignorante
pigro – dinamico
avaro – spendaccione

5e

(Sample answer)

È una donna interessante, colta e pratica.

6

1 In Spagna.
2 Con la famiglia (moglie e figli).
3 Santiago di Compostela, Salamanca.
4 Salamanca, perché è antica con un centro storico ben tenuto.
5 Due o tre giorni.
6 Andavano in giro per la città visitando musei, ecc.
7 Andavano a nuotare in piscina.

8 Di giorno in ristoranti, la sera mangiavano paella.
9 I ragazzi nuotavano, si divertivano e si stancavano.
10 Andavano a letto perché erano piuttosto stanchi.

(Sample answer)

11 Raffaele e Mr X: a tutti e due piace viaggiare, nuotare ecc., ma Raffaele viaggia con la famiglia.

■ 7

Studente A

- Scusi, c'è un telefono qui vicino?
- Può dirmi se c'è un telefono?
- Dove posso fare una telefonata?/Dove posso trovare un telefono?
- Ho bisogno di un telefono/di fare una telefonata.

Studente B

- Vediamo, ce n'è uno sotto l'orologio/ vicino al chiosco dei giornali/ dentro il ristorante/ accanto all'uscita 3

■ 8

BOLOGNA	051
CATANIA	095
FIRENZE	055
MILANO	02
NAPOLI	081
PERUGIA	075
PISA	050
ROMA	06
TORINO	011
VENEZIA	041

■ 9a

TELEFONATA	1	2	3	4	5	6
Un ufficio					✓	✓
Un ospedale						
Una ditta						
Una casa privata	✓			✓		
Un negozio						
Un teatro/cinema		✓	✓			
Un ristorante						
La persona c'è	✓				✓	✓
Non c'è				✓		
Bisogna richiamare				✓	✓	
Il numero è sbagliato		✓	✓			

11a

sto facendo la fila ... volevo ... Ho perso il filo. ... devono ... non posso ... voglio ... perdere tempo ... puoi ... ai vecchi tempi!

11b

1 Perché non trova / ha perso le chiavi di casa.
2 Perché c'è molta gente nella banca.
3 Perché non si ricorda, ha perso il filo.
4 Perché è arrivato / è già alla cassa.
5 Perché ha una riunione e perché c'è molto traffico oggi.
6 Massimo ha comprato una bella Vespa di seconda mano.

11c

1 perdo il filo. 2 fare la fila, perdere tempo. 3 Ai vecchi tempi. 4 fanno la fila. 5 perdere tempo

11e

1 Potete telefonare più tardi?
2 Non devo arrivare in ritardo.
3 Allora vogliono andare alla partita.
4 Anna deve vedere quel film.
5 Non può parlare adesso perché vuole uscire.
6 Non sanno mai cosa vogliono.

12a

commerciante
vigile urbano
barista
negoziante
macellaio

12b

1 Secondo loro è stata una donna.
2 Ha visto tutto perché la sua macelleria è proprio accanto.
3 Non è vero. È un cartello che dice 'ci siamo lasciati'.
4 No, lui non conosce nessuna Paola.
5 No, c'è un dibattito su di lei, chi dice che è la fidanzata, chi l'altra.
6 No, lui pensa che questo sia un gesto pieno d'amore.

12d

- Emanuele Morganto ha visto tutte le targhe dalla sua macelleria.
- Norma Spagnoli ha levato la targa vicino al suo negozio perché la gente crede che lei si sia lasciata con suo marito.
- Il barista non lo sa: non conosce nessuna Paola.

- Il vigile trova che è un bel gesto/ non vede perché dovrebbe dare fastidio.

■ 12e

1 persone. 2 gente. 3 gente / persone. 4 persone.
5 gente. 6 persone, gente.

Per casa

(Possible answer with Lei and Lui)

– Pronto, ciao, sono io, Anna.
= Oh Anna! che bello sentirti, come va?
– Va male ... Piango, non dormo, ti penso sempre. Ma perché ci siamo lasciati?
= Queste cose succedono. Mi dispiace che stai male.
– Ma come è potuto succedere? Stavamo così bene insieme!
= Ma Anna, tu sai che io sono sposato ...
– Ah sì, è vero. Come va con Paola?
= Con Paola va più o meno come prima. Cioè un disastro.
– Ma allora, perché non ci vediamo?
= Hai ragione. Io ti voglio sempre bene. Va bene Venerdì alle 5 a Piazza del Duomo ...?

(Alternative answer with two men talking)

– Pronto, ciao, sono io, Sandro.
= Ciao Sandro. Come va la vita?
– Insomma ... Io e Anna ci siamo lasciati.
= Ma no! Che peccato! Ma perché vi siete lasciati?
– Mah, lei non vuole più continuare così.
= Ma con Paola come va?
– Con Paola va più o meno come prima. Un disastro cioè.
= Mi dispiace proprio. Senti, perché non ci vediamo?
– Buon'idea. Va bene sabato a pranzo?

Unità 2

■ 1b

(Da giovane)
(atletica):Totani
(tennis):Totani, Montani
(grandi camminate): Serra, Chilanti
(mai sport): Chilanti
(pallone): Costa
(Adesso)
(viaggi per lavoro): tutti
(viaggi per passione): Serra
(smesso di fumare): tutti, meno Montani

■ 1d

1 faccio follie per *I am crazy about*
2 vado matto/a per *I am mad about*
3 è la mia droga *it's my drug*
4 è il mio vizio *it's my vice*
5 ho la passione del/ dei/ della *I have a passion for*
6 amo moltissimo *I really love*
7 ho sempre…con grande passione I *have always…with great passion*

■ 1e

1 Sandra: non li fa mai.
2 Massimo: lo gestisce
3 Mimmo: la dirige
4 Flavia: li legge
5 Mimmo: lo considera un divertimento
6 Flavia: le preferisce

■ 2a

Tempestata di telefonate dai giornalisti, **la** signora Moretti è cortese ma irremovibile:'Ho **la** proibizione assoluta di parlare di lui. Del resto non l'ho mai fatto.' **Il** padre in questi giorni è drastico: 'Non ho nulla da dire, buongiorno.' Dunque **il** più sincero e autobiografico regista italiano non vuole che **la** famiglia parli di lui ai giornalisti. Forse perché ha sempre detestato **i** giornalisti. O forse perché proprio recentemente è arrivato sugli schermi **il** suo film più intimo e personale dopo *Caro Diario* e: *Aprile*: *La Stanza del figlio*.

Di Nanni Moretti sappiamo che attualmente vive a Roma (dove ha sempre vissuto) con **la** sua compagna Silvia, veneziana. Ma anche **il** rapporto con Silvia agli inizi era tenuto segreto, e molte volte al telefono lei lo chiamava 'Giovanni' invece di Nanni, per non farlo riconoscere dai colleghi di lavoro.

Di famiglia romana, Nanni è nato per caso a Brunico, sulle Alpi, dove **i** suoi genitori erano in vacanza, e ha continuato da ragazzo ad andare in vacanza ogni anno con **i** suoi a Vietri sul Mare. **Gli** amici raccontano che ogni sera al tramonto partivano per interminabili nuotate. Per Nanni infatti **lo** sport – nuoto e pallanuoto – è sempre stato importante. Nel film *Palombella rossa* per esempio **la** partita è una metafora della vita. 'Era un giocatore vero, aveva tutti **i** numeri per emergere', ha detto Riccardo, suo compagno nella Nazionale Giovanile di pallanuoto. Ma Nanni ha lasciato **lo** sport per **il** cinema.

■ 2b

1 Non ha mai parlato di lui.
2 Moretti ha sempre detestato i giornalisti.
3 Roma.
4 Lo chiamava Giovanni invece di Nanni per non farlo riconoscere.
5 È sempre andato in vacanza con i suoi.
6 Non fa più sport / pallanuoto.

■ 3a

(1) sorella. (2) simpatici. (3) finito. (4) architettura. (5) biondo. (6) alta. (7) madre. (8) al padre. (9) posato. (10) frivola. (11) sportivo.

■ 3c

	Stefano	Lorenza
Che tipo è • fisicamente • di carattere	non molto alto biondo posato studioso umano forte interesse per le persone intellettuale	molto alta bruna capricciosa appariscente graziosa allegra frivola compagnona sportiva
A chi somiglia • in che cosa	sia al padre che alla madre lineamenti/tratti del viso faccia un po' affilata	al padre

■ 3d

Stefano è **abbastanza** alto, è **molto** differente da Lorenza perché è **piuttosto** biondo mentre lei è **piuttosto** scura di capelli. Somiglia **un po'** a suo papà, quindi ha dei tratti **abbastanza** fini. Somiglia **un po'** anche a me nei tratti del viso, e invece di avere zigomi **abbastanza** larghi ha una faccia **un po'** affilata.

4a

(Sample answer)

Sono tutti e tre uomini ma una è una fotografia moderna mentre e gli altri due sono quadri antichi, ecc.

Giovani e tendenze

indimenticabile.
avventuroso.
inconfondibile.
originale.
libero.
incontentabile.
disinvolto.

6a

19	l'età di Fabio
17	l'ora in cui Fabio stacca
20	l'età di Cinzia
due	le volte che Cinzia va a ballare
21	l'età di Marco
16	l'età di Lucia
4	gli esempi scelti/che hanno scelto
5000	i ragazzi che sono stati coinvolti nell'indagine
15–25	gli anni dei ragazzi intervistati
4%	la crescita dei consumi privati

6c

1 vero. 2 falso. 3 falso. 4 falso. 5 vero. 6 falso. 7 vero. 8 vero. 9 vero.

7a

A Maria Vittoria. *B* Daniela. *C* Silvia.

7b

1 berretto. 2 pantaloni.
3 giubbotto. 4 camicia.
5 scarpe da ginnastica. 6 felpa.

8

1 vestirsi. 2 alzarsi. 3 riposarsi.
4 farsi la barba. 5 sedersi.
6 lavarsi. 7 pettinarsi.
8 togliersi il cappello.
9 addormentarsi. 10 bagnarsi.
11 abbronzarsi. 12 sposarsi.
13 innamorarsi.
14 preoccuparsi. 15 divertirsi

9a

però – ma va – come mai – se sapessi – ma no – secondo me – ma guarda – pensi che siano – a mio parere – sono d'accordo – penso che tu abbia ragione.

9b

secondo me; pensi che siano/ che ne pensi; a mio parere/ a mio avviso; sono d'accordo; penso che tu abbia ragione.

9c

1 Ha un figlio che pensa solo a divertirsi.
2 Guarda la TV, va in discoteca, esce con gli amici.
3 Perché ha degli strani amici.
4 Perché ha amici 'per bene'.
5 Che sono molto importanti per i ragazzi a questa età.
6 Che i figli pensano solo a divertirsi – che non studiano – che hanno amicizie incredibili.

9d

(Sample answers)

1 Non credo che tutti i genitori abbiano problemi.
2 Penso anch'io che i giovani siano cambiati.
3 No, non credo che la cosa più importante sia il divertimento.
4 Sono d'accordo, non credo che siano molto interessati allo studio.
5 Credo che spesso abbiano amici strani.
6 Sì, credo che tu abbia ragione.

10b

1 Per i vegetariani la vita è difficile specialmente in viaggio. **F**
2 I ragazzi e gli sportivi devono mangiare bistecche per produrre energia. **F**
3 In Italia pochi sanno cosa vuol dire 'vegetariano'. **F**
4 Rifiutare la carne vuol dire avere paura. **Non si sa**

10c

(Possible menu. See also Student's Book page 172)

11a

1 è favorito da un'antica tradizione
2 da motivi pratici, di dieta
3 è essenziale
4 è la madre della cucina vegetariana

11b

Non è d'accordo perché ritiene che il vegetarianismo
a) non esista come movimento in Italia
b) non abbia motivi idealistici.

12a

1 prodotti biologici. 2 catene di distribuzione. 3 metodi di lavorazione. 4 piccoli produttori. 5 multinazionali. 6 commercio equo.
7 all'ingrosso.

12c

1 si cerca – si può.
2 si produce. 3 si acquista – si spende. 4 si evitano – si controlla. 5 si compra/ comprano – si ottengono. 6 si creano.

Unità 3

Focus a

furgone; automobilista; coda; ora di punta; ingorgo; camion; roulotte; macchina; ponte autostradale

1b

Le signore Ninetta e Anna Franciosi che viaggiano su una Lancia Delta nera targata NT317KSI e che al momento si trovano vicino a/nei dintorni di Carcassonne, sono pregate di chiamare la Clinica Margherita di Torino allo 02 64 83 11 immediatamente.

I signori Enzo e Antonia Coveri che viaggiano su una Nissan Micra color argento targata GE558BST e che al momento si trovano in un campeggio in Provenza sono pregati di dare notizie appena possibile allo 013 21 34 55.

Il signor Massimo Spada che viaggia su una Ford Escort rossa targata CN125ZPR e che si trova in Borgogna nei dintorni di Dijon, è pregato di telefonare al Signori Maderno all 06 37 88 90 urgentemente.

Il signor Guido Marra che viaggia su una Fiat Panda blu targata MV569LTR e che si trova sulla Costa Azzurra vicino Nizza è pregato di contattare lo 011 56 89 952 entro domani.

1c

- I signori passeggeri sono pregati di mettere il bagaglio a mano sotto il sedile e di allacciare la cintura di sicurezza.
- I signori clienti sono pregati di non lasciare i carrelli vicino all'uscita.
- I nuovi studenti sono pregati di completare i moduli per l'iscrizione e di avviarsi verso l'aula numero 5.

2b

1 Le grandi strade fuori città si chiamano **autostrade**.
2 Le strade bloccate dal traffico sono **intasate**.
3 Le macchine si chiamano anche **auto**.
4 Molti automobilisti sono

vittime di **incidenti**.
5 Le auto restano bloccate quando c'è un **ingorgo**.
6 La macchina che trasporta i feriti si chiama **ambulanza**.
7 Il pedaggio per l'autostrada si paga al **casello**.
8 Il rientro dalle vacanze si chiama anche **contro-esodo**.
9 Molte macchine in fila formano **code** o **colonne**.

■ 3b

a Tre persone sono morte in incidenti stradali.
b Nel Nord la circolazione è lenta e ci sono code.
c Per ora non c'è stato il contro-esodo.
d È nato un bambino sull'autostrada.
e Alle frontiere il traffico è lento.
f Ci sono stati meno incidenti del solito.
g Il vero rientro sarà sabato.

■ 4a

- Non vada a Mugello. C'è qualche problema sulla A1.
- Non rientri passando per Trieste. Ci sono problemi sulla A4.
- Non vada in Francia oggi, rimandi a domani. Il traffico è rallentato ai valichi.
- Vada tranquillo. Non ci sono problemi in direzione sud.

■ 5a

(*Sample answers*)

- Ascolti bene il bollettino del traffico.
- Scriva una lettera alla banca.
- Completi questo modulo.
- Copi le informazioni.
- Decida dove preferisce andare per le vacanze.
- Legga questo articolo.
- Esprima la sua opinione.
- Riassuma in breve le notizie di oggi.
- Prepari la lezione per domani.
- Faccia una lista delle cose da comprare.

■ 6a

1 fuma > non fumi. 2 fa > non faccia. 3 porta >non porti. 4 va > non vada. 5 butta > non butti. 6 parcheggia > non parcheggi.

■ 6b

1 lascia > non lasciare.
2 calpesta > non calpestare.
3 dà da mangiare > non dare da mangiare. 4 tocca > non toccare. 5 sale > non salire.
6 spinge > non spingere.

7a

qualche soffio di vento – delle belle giornate – a parte qualche nuvola – qualche sprazzo di sole – dei breve temporali – qualche grado.

7b

1 Ho qualche amico a Perugia.
2 Devo fare qualche telefonata.
3 Antonio ha qualche libro da darti.
4 Marta ha qualche cosa da dirti.
5 Mi fa vedere qualche borsa in pelle?
6 Ci hanno dato qualche informazione, ma era sbagliata.

7c

1 Ho degli amici a Perugia.
2 Devo fare delle telefonate.
3 Antonio ha dei libri da darti.
4 Marta ha delle cose da dirti.
5 Mi fa vedere delle borse in pelle?
6 Ci hanno dato delle informazioni sbagliate.

7d

(Possible answers)

1 fra qualche giorno
2 da qualche parte
3 qualche minuto fa
4 per qualche istante
5 per qualche minuto
6 da qualche ora

8a

Ha stile! È **elegante**.
Ha l'aria condizionata. È **confortevole**.
Ha le cinture di sicurezza davanti e dietro. È **sicura**.
Consuma pochissimo! È **economica**.
Si viaggia bene anche in quattro persone, un cane e due valigie!
È **spaziosa e comoda**.
È l'ultimo modello! È **moderna**.
Si parcheggia facilmente!
È **maneggevole**.
Va forte, arriva a 130 km l'ora!
È **veloce**.
Non si rompe mai! È **resistente**.

8c

Ferrari: *da corsa*.
Lamborghini: *di lusso*.
Cinquecento: *utilitaria*.
Vecchia macchina: *una carretta*.

9a

La ruota è a terra.
Il parabrezza è rotto.
Il faro non funziona.
La batteria è scarica.
I freni non funzionano.
La benzina è finita.
L'olio è finito.

11b

1 Si ferma e lascia passare le altre macchine.
2 Aspetta pazientemente.
3 Non si arrabbia.
4 Non passa.
5 Non dice parolacce.

10

Nome Cognome	Numero di targa	Tipo di macchina	Colore	Auto-strada	Direzione	Problema
Mario Colangeli	RT835 N2B	FIAT TIPO	Marrone	Bologna-Venezia	Venezia	Gomma a terra *Deve arrivare a Venezia per le 9.30
David Clark	LR54 CXF	NISSAN MICRA	Bianca Napoli	Roma-	Napoli	Parabrezza rotto. *Deve essere a Napoli per le 18.45

11a

- fare marcia indietro
- passare col rosso
- parcheggiare in doppia fila
- un graffio
- parolacce

11c

1 Non parcheggerei. 2 Non mi infilerei. 3 Non lascerei.
4 Non sbatterei. 5 Non danneggerei.

12a

1 Perché ha fame.
2 Perché ha freddo.
3 Perché ha caldo.
4 Perché ha fretta.
5 Perché ha sete.
6 Perché ha sonno.

12c

1 una fame da lupo
2 una sete spaventosa
3 una fretta bestiale
4 una paura tremenda
5 un sonno da morire
6 un freddo cane
7 un caldo allucinante

13c

1 Un operaio in fabbrica
2 Un signore anziano che vive solo
3 Un giornalista
4 Un vigile del fuoco
5 Un operatore del freddo
6 Un medico dell'ospedale
7 Un vigile urbano
8 Un saldatore della Imes
9 Un venditore ambulante

13d

(Sample answers)

- **Un operaio:** Faceva tanto caldo in fabbrica che ha rifiutato di mettersi la tuta./ È stato messo temporaneamente in cassa integrazione per non farlo lavorare con il caldo.
- **Un vigile del fuoco:** È uscito molte volte./ È stato fuori quasi tutto il giorno perché c'erano tante richieste di intervento./ Ha dovuto rispondere a centinaia di telefonate.
- **Un medico dell'ospedale:** Ha visitato molte persone colpite da malore, soprattutto anziani.
- **Un venditore ambulante:** Ha fatto affari vendendo ventilatori davanti alla Stazione centrale.

14d

(Sample answers)

Studente A *(per dare informazioni)*

- Il lago è a quasi 2000m di altezza, sull'appennino.
- Il percorso è abbastanza duro.
- Il lago è il più alto e il più piccolo del Lazio/spettacolo unico.
- Ci vuole circa mezza giornata per l'escursione.

Studente B *(per chiedere informazioni)*

- Dov'è il lago esattamente?

- Il percorso è difficile?
- Com'è il lago?
- Quanto tempo ci vuole in tutto?

Studente A *(le indicazioni)*

- prendi la strada bianca a destra e arrivi al recinto
- prendi il sentiero
- esci allo scoperto
- sali ancora un po'
- continua
- qui fai bere i cavalli
- lasciando il lago prendi a sinistra e arrivi alla sorgente
- qui gira a sinistra
- passa sotto l'autostrada

■ 14e

(Sample answers)

1 ci si diverte
2 non ci si annoia mai
3 ci si stanca
4 ma ci si riprende facilmente
5 ci si riposa vicino alla capanna dei pastori
6 ci si rilassa guardando il panorama
7 ci si rinfresca al Fonte Salomone
8 ci si disseta alla sorgente La Vena
9 ci si accorge che l'arrivo è vicino

■ 15a

vorresti – dovresti – potrebbe – dovrebbe – dovremmo –
vorreste – potreste – vorrebbero – dovrebbero

■ 15c

vorrei – piacerebbe – vorrei – sapresti – costerebbero – piacerebbe – avrei – potrei – potresti – sarebbe – andremmo/si andrebbe – dovrei/dovremmo

■ 15e

Ugo farebbe follie, non seguirebbe le regole, non imparerebbe a…

Unità 4

■ Focus

A fornaio. B camionista. C segretaria. D profumiera. E calciatore.

■ 1a

1A; 2C; 3E; 4D; 5B.

■ 1b

- il calciatore.
- il camionista.
- il fornaio.
- la profumiera.
- la segretaria.

1d

Lavoro	Vantaggi	Svantaggi
fornaio	energia	alzarsi all'alba
segretaria	entusiasmante per i contatti	noioso, ripetitivo
calciatore	fa piacere/sei seguito	niente privacy
profumiera	viaggi, contatti	stressante
camionista	piace la solitudine	famiglia

2a

- non si batte la fiacca: è proibito essere pigri
- le aziende: società commerciali
- (stipendio) a quattro zeri: altissimo
- strapagato: pagato troppo
- fannulloneria: voglia di non far nulla

2b

1 battono. 2 perdono.
3 navigano, passano.
4 affondano. 5 essere, artisti e pensatori.

2d

1 Producono le macchine più economiche del mondo.
2 Hanno le vacanze più lunghe d'Europa.
3 È la famiglia più ricca del quartiere.
4 È la storia più divertente dell'estate.
5 Ha fatto il film più bello degli ultimi anni.
6 Ci sono gli attori più famosi d'America.

3a

1 È il protagonista del filmi *Le Conseguenze dell'Amore* e ha vinto il Donatello '05 come miglior attore.
2 Stefano Accorsi.
3 Perché aveva il numero più alto di candidature.
4 Il fatto che *Dopo Mezzanotte* di Ferrario non abbia ricevuto nessun premio.
5 Perché *Le Chiavi di Casa* piace moltissimo al pubblico.
6 Quattro.

7 Perché gli piace mangiare e passa molto tempo in cucina. / Perché non gli dà molta importanza./ Perché è anticonformista.

■ 3b

1 che. 2 dei. 3 che. 4 di. 5 che. 6 degli. 7 che. 8 di.

■ 3d

1 maggior. 2 migliore.
3 Peggior. 4 migliori. 5 minor.
6 peggiore. 7 migliore.
8 i migliori, i migliori, i peggiori.

■ 5a

CURRICULUM VITAE
NOME Carla
COGNOME Schiannini
NATO/A A Londra
ETÀ 32 anni
NAZIONALITÀ Inglese (di genitori italiani)
RESIDENZA Londra
STATO CIVILE Sposata
TITOLI DI STUDIO Laurea in Lingue e Commercio (1997) Diploma di Traduttrice
LINGUE PARLATE Inglese, Italiano, Spagnolo, Francese
ESPERIENZA PROFESSIONALE
1998–2000: 2 anni in Spagna (Servizio Estero della BBC)
Interprete per attori e registi
Traduzioni (per la TV)
LAVORO ATTUALE Ricercatrice per la RAI, basata a Londra (dal 2003)
VIAGGI In italia per molti anni. In Spagna per 2 anni.
INTERESSI Interviste, politica, traduzioni per film e documentari; fare l'interprete

5b

CURRICULUM VITAE
NOME Renato
COGNOME Cinelli
LUOGO DI NASCITA -----
DATA DI NASCITA 1972
DOMICILIO Bologna
TELEFONO -----
STATO CIVILE sposato
TITOLI DI STUDIO Laurea per Interpreti e Traduttori (Università di Trieste)
LINGUE Francese, Inglese, Italiano madre lingua
ESPERIENZA PROFESSIONALE
1996–2000: Interprete per una compagnia cinematografica italiana
LAVORO ATTUALE dal 2001: traduttore per una casa editrice

5c

- Fino a 19 anni Renato ha vissuto a Bologna, dove ha frequentato le scuole medie e il Liceo Linguistico
- A 19 anni si è trasferito a Trieste, dove ha seguito il corso di laurea per Interpreti e Traduttori.
- Dopo aver ottenuto la laurea, nell'95, ha passato un anno a Parigi, dove ha seguito un corso di perfezionamento.
- Dall'96 al 2000 ha lavorato come interprete per una compagnia cinematografica a Bologna.
- Nel 2000 la ditta si è trasferita e Renato ha dovuto cambiare lavoro.
- Dal 2001 lavora come traduttore per una casa editrice a Bologna.
- Al momento sta cercando un nuovo lavoro, possibilmente a Milano.

5d

Ha studiato in Italia. Dopo aver ottenuto la laurea in Lingue e Commercio … Dal 1998 al 2000 … Al momento …

6a

dirigente/direttore (*manager*); breve frase usata per pubblicità (*slogan*); calcolatore elettronico (*computer*); teppista (*hooligan*); assassino (*killer*); capo (*leader*); moda (*look*); partita (*match*); gioco di pazienza (*puzzle*); gioco a premi (*quiz*); spese/compere (*shopping*); colpo (*shock*).

6b

dedicare/dedicarsi a
servire a

avere bisogno di
pensare a
andare a
rinunciare a

6c

1 Avere buoni risultati nel campo del lavoro dà fiducia in se stessi. (*Nadia*)
2 Pensare solo al lavoro ci allontana dalla realtà. (*Maria Grazia*)
3 Dedicarsi alla propria carriera è un modo per pensare a se stessi. (*Nadia*)
4 La casalinga è stressata quanto la donna di carriera. (*Nadia*)
5 La donna di carriera soffre di ansia. (*Maria Grazia*)
6 Chi ama il proprio lavoro non ha bisogno di hobby. (*Nadia*)
7 Tutti abbiamo bisogno di un pò di tempo 'nostro'. (*Maria Grazia*)
8 Far carriera non vuol dire trascurare la famiglia. (*Nadia*)

7a

Valeria Vicentini: Le piace viaggiare in Italia e all'estero. All'università studierà medicina a Torino.
Federico Rispoli: Vuole imparare a guidare. Vuole studiare Scienza della Comunicazione con specializzazione in giornalismo. Farà il giornalista.
Massimo Bortolli: Vuole studiare Economia e Commercio, perché vuole diventare manager di un'azienda. Vuole fare un master all'estero. Vuole viaggiare molto e divertirsi. Non vuole sposarsi presto.
Franca Fini: Sogna di fare l'archeologa. Vorrebbe un lavoro per pagarsi gli studi. È fidanzata, ma al momento pensa solo a studiare.
Elena Marini: Vuole studiare giurisprudenza e entrare in polizia o in magistratura. Non le interessa sposarsi.
Luciano Scipioni: Quando si sposerà vuole una famiglia molto numerosa. Vuole la laurea in scienze motorie per poter dirigere la palestra dei genitori.

7b

1 Valeria e Massimo.
2 Federico e Luigi.
3 Laurea in scienze motorie.

4 Vuole cercare un lavoro nella polizia o in magistratura.
5 Ha un diploma di ragioniere programmatore. Sogna di fare l'archeologa.
6 Deve studiare Economia e Commercio e fare un master all'estero.
7 Perché è una tradizione di famiglia.
8 Nessuno.
9 Scienze della comunicazione con specializzazione in giornalismo.

■ 8a

1 una sola volta nella vita
2 cinque anni di servizio
3 anno di formazione professionale
4 l'azienda deve accettare il progetto
5 l'anno non è retribuito
6 il lavoro è mantenuto

■ 9a

a come funziona il corso (4)
b aule sui binari (1)
c l'ultima bombetta (5)
d un sistema da bambini (3)
e l'ideale per i pendolari (2)

Titolo originale: 'L'inglese in treno. Carrozze ferroviarie trasformate in aule scolastiche'

■ 9b

(1) vagoni: *carrozze ferroviarie*
(2) tempo perso: *tempo sprecato siccome*
(3) dato che lavorano come matti: *sgobbare*
(4) inventare: *ideare*
(5) il solo inconveniente: *l'unico problema*;
che fa pensare all'Inghilterra: *che fa tanto inglese*

■ 9c

1 Perché già dirigeva una scuola d'inglese.
2 Perché gli sembrava assurdo vedere il tempo sprecato dai pendolari sul treno.
3 Perché i bambini imparano ripetendo, senza grammatiche – che è il suo metodo.
4 Perché la lunghezza dei viaggi della gente variano.
5 Perché hanno nostalgia della scuola.
6 Perché 'fa tanto inglese'.

■ 10b

Irene: parlando – andando in Inghilterra – ascoltando molto.
Massimo: preparando gli esami all'università.

Dominique: lavorando come addestratrice di cavalli a Roma – e sposando Agostino.
Michael: seguendo un corso per stranieri a Perugia – e poi avendo una ragazza italiana.
Elena: studiando a scuola – continuando poi con un corso per traduttori.

■ 11a

Mi piace perché...
si usa la lingua viva
si entra in contatto con persone diverse
si è sempre aggiornati
si ha la possibilità di viaggiare
si guadagna bene
si è indispensabili per la comunicazione
è un lavoro che dà molte soddisfazioni

Non mi piace perché...
non ci si siede mai
si è sempre messi alla prova
la materia cambia ogni volta
c'è solo qualche secondo per prepararsi
non è permesso fare errori
è difficile programmare sia la vita privata, sia il lavoro
si viaggia senza soste
è un lavoro troppo irregolare
è un lavoro stressante
non c'è tempo per la famiglia

■ 11c

bisogna avere (*nome*) → bisogna essere (*aggettivo*)

flessibilità	flessibili
precisione	precisi
sicurezza di sè	sicuri di sè
velocità	veloci
pazienza	pazienti
puntualità	puntuali
preparazione	preparati
prontezza di riflessi	pronti
capacità di concentrarsi	capaci

Unità 5

■ Focus b

1e (Federica); 2f (Marta); 3b (Fabio); 4a (Fabio); 5c (Silvia); 6d (Dario).

■ 1a *(See over)*

■ 1b

verrà	venire	
rimarrai	rimarrà	rimanere
terrai	terrà	temere
avrò	avrà	avere
saprò	saprà	sapere
potrai	potrà	potere
dovrai	dovrà	dovere
vorrò	vorrà	volere

1a

	chi / che cosa	quando	dove	come / perché
L'ora legale	inizio ora legale	sab 26-dom 27 fino al 24 settembre	Italia e altri 20 paesi	spostando le lancette avanti di 1 ora
Vento del sud	centrali eoliche in Italia	entro il 2015	Sud e isole + offshore	grazie al terreno e all'intensità dei venti
Scelta della scuola	studenti + servizio orientamento di *Repubblica*	oggi pomeriggio 15-18	tel 06 77 14 270 o 06 714 378	per consigli su professioni e tipo di scuole richieste
Maratona con amore	mini-maratona per coppie di innamorati	8.30 domattina partenza 10.30	al Pincio, Roma	iscrivendosi fino a 20 m.prima

1c

(Possible answers)

1 ... andranno indietro di un'ora.
2 ... resterà in vigore fino al ...
3 ... potrà iscriversi direttamente alla gara.
4 ... potrà telefonare a Repubblica oggi pomeriggio.
5 ... dovranno presentare domanda entro ...
6 ... delle centrali eoliche aumenterà.
7 ... sarà finito/terminato il progetto.

2b

Serena. Infatti crede che si troverà una cura per l'AIDS e per il cancro; che forse ci sarà un governo mondiale; che in futuro tutto andrà meglio.

3a

1j; 2g; 3f; 4i; 5h; 6e; 7c; 8b; 9a; 10d.

4a

(1) è. (2) è. (3) nasconderà. (4) viene. (5) abbandonerà. (6) sarà. (7) osserva. (8) ci sarà. (9) diventeranno. (10) si raffredderà. (11) abbaieranno. (12) diverranno. (13) abbandona. (14) avrà. (15) staranno. (16) sarà. (17) coprirà. (18) scivolerà. (19) resta.

4b

1 Sta per finire.
2 Circa 3000 × 2.800.
3 Non male.
4 C'è stato solo un po' di vento.
5 Stupefacente mi fa impressione, ecc.
6 Si sono muniti di occhiali, binocoli e filtri.
7 Totale.
8 In Egitto.
9 Impressionante, strana.

5

- Antonioni era un regista molto famoso negli anni 60.
- Monica Vitti è un'attrice che ha lavorato in quasi tutti i film di Antonioni. Era anche la sua compagna.
- Nel 1961, a Firenze, Antonioni girava il film L'Eclisse.
- Antonioni pensava che durante l'eclisse si fermavano anche i sentimenti/ vedeva un parallelismo tra l'eclisse fisica e morale.
- Lei pensa che sia un film angoscioso e bellissimo, in avanti sui tempi.
- Monica ebbe paura della morte e del buio, ma era anche affascinata dalla brevità dell'eclisse e dal silenzio.

6a

Dov'è / Cosa c'è	**Il Galoppatoio**	**Egizia Elite**	**Il Montagnone**	**La Grotta Rossa**
Luogo	ROMA	RIETI	NARNI	ACQUA SPARTA
Telefono			715282	930369
Discoteca	sì	sì		
Bar/Pub	sì			sì
Ristorante			sì	
Pizzeria			sì	sì
Parcheggio			sì	
Musica	sì	sì		Venerdì/sabato

6b

1 Montagnone – Grotta Rossa.
2 Rieti – Discoteca/musica/piscina.
3 Galoppatoio/Egizia Elite/Grotta Rossa.
4 Montagnone.
5 No, apre a settembre.

6c

(Sample answers):
andiamo – prendiamo – partiamo – passiamo – telefoniamo – rimaniamo – lasciamo – torniamo – parcheggiamo – mangiamo
(riflessivi): troviamoci – vediamoci – incontriamoci – fermiamoci – mettiamoci

6d

(*tu*): trovati – portati – fermati – ricordati – mettiti
(*voi*): trovatevi – portatevi – fermatevi – ricordatevi – mettetevi

7a

Tipo di corsi offerti: *diurni – serali – festivi*
Durata dei corsi: *sei mesi*
Le lezioni: *individuali*
Il personale (insegnanti): *qualificato*
L'indirizzo: *Via Tre Monumenti 28*
Il numero di telefono: *0744 418256*
La città: *Terni*

7b

diurno – serale – festivo
notturno – estivo – invernale – autunnale – primaverile

7c

scuole medie – ragioneria – magistrali
liceo classico – liceo scientifico – liceo linguistico
istituto tecnico femminile

7d

classico	autori classici statue classiche
scientifico	libri scientifici ricerche scientifiche
linguistico	licei linguistici teorie linguistiche
tecnico	laboratori tecnici spiegazioni tecniche
scolastico	anni scolastici vacanze scolastiche
elettronico	strumenti elettronici macchine elettroniche

7e

comici laghi scolastici
giacche ricchi pesche
astrologi cuochi medici
psicologi alberghi

8

Se fossi in te:
- Cercherei…mi interesserei
- Farei
- Non sceglierei
- Viaggerei e imparerei
- Terrei…Farei
- Mi abituerei
- Individuerei…frequenterei
- Non darei
- Mi abituerei
- Penserei

9a

(*Sample answers*)

1 La pubblicità tradizionale crea nel pubblico il bisogno di comprare, presentando una realtà che non esiste, un mondo affascinante e idealizzato. Le persone comprano i prodotti con la speranza di poter far parte di questo mondo.

2 I manifesti di Benetton mostrano una realtà scioccante, che nessuno vuole vedere. Inoltre il prodotto non compare nei manifesti. Secondo l'azienda, le campagne pubblicitarie di Benetton sono sempre meno commerciali e sempre più ideologiche.

3 Il prodotto è sempre meno importante. Dal 1984, progressiva-mente, è scomparso dai manifesti. Il messaggio non è più 'Comprate i golfetti di Benetton', ma 'Pensate ai mali del mondo'.

4 Non tutti apprezzano le campagne pubblicitarie di Benetton.

9c

Gianni

A favore: nessun turbamento – nulla di scioccante per me

Contro: perplesso – una certa ipocrisia – molte perplessità

Sergio

A favore: io non mi scandalizzo – un ottimo fotografo – mi piacciono le sue fotografie – fotografie molto belle – una persona brava – trovo che faccia bene

Mirella

Contro: personalmente non sono d'accordo – non è per niente di sua competenza –

sfrutta i mali – secondo me non è positivo – non sono per niente d'accordo con lui, assolutamente – vendere sfruttando, commercializzando – non l'approvo per niente.

■ 10a

1 sia. 2 sia. 3 abbiano. 4 faccia bene. 5 combatta. 6 sfrutti. 7 stimolino. 8 usi.

■ 11a

1 causare 2 individuare 3 a fare scalpore 4 A trasformare 5 è stata 6 a tranquillizzare 7 di parlare 8 di fargli 9 addormentarsi

■ 11b

1 V. **2** F. **3** F/Non si sa. **4** Non si sa. **5** V. **6** V.

■ 11c

1 A scatenare grandi polemiche è stato un piccolo spot.
2 A manipolare il pubblico non sono i media.
3 A volere questo tipo di pubblicità è la nostra società.
4 A lanciare l'allarme sono stati i pediatri.
5 A dover decidere è la famiglia.

Unità 6

■ 1a

-ARE
arrivare: arrivavano
bloccare: bloccavano
considerare: consideravano
guardare: guardavano
passare: passavano
passeggiare: passeggiavano
usare: usavano
-ERE
esistere: esisteva/evano
vedere: vedeva
vivere: vivevano
volere: volevano
-IRE
coprire: coprivano
preferire: preferivano
venire: veniva
essere: era, erano
avere: avevano

■ 1b

Roma:

La vista	San Pietro non si vedeva bene.
I trasporti	Si usavano solo tram
Il traffico	Non c'erano macchine.
L'architettura	Le strade erano piccolissime e antiche.
Il verde	C'erano molti alberi.

Milano:

La vista/il panorama

Adesso: Si vede una strada elegante e in fondo il Duomo.

Prima: La strada era elegante e in fondo si vedeva il duomo.

I trasporti

Adesso: Non ci sono mezzi di trasporto.

Prima: Si usavano i tram.

Il traffico

Adesso: Non c'è traffico, perchè la strada è un'isola pedonale.

Prima: Il traffico era intenso.

L'architettura

Adesso: Si vedono palazzi moderni.

Prima: C'erano vecchi palazzi eleganti con molto balconi.

Il verde

Adesso: Non ci sono alberi.

Prima: Non c'erano alberi.

Palermo:

La vista/il panorama

Adesso: La città copre tutta la pianura, fino alle montagne.

Prima: La pianura era coperta di giardini di aranci e limoni.

Il traffico

Adesso: Il traffico è caotico.

Prima: C'era poco traffico.

L'architettura:

Adesso: La città è piena di grattacieli.

Prima: C'erano pochissime case non troppo grandi.

Il verde

Adesso: Si vedono pochi alberi.

Prima: La pianura era coperta di alberi.

La popolazione

Adesso: Quasi un milione di persone vivono a Palermo.

Prima: Circa mezzo milione di persone vivevano a Palermo.

■ 1d

Roma:

San Pietro è esattamente oggi come era prima.

Le fontane davanti a San Pietro non sono cambiate.

Ci sono ancora gli alberi, lungo il fiume.

Palermo:

L'ippodromo e lo stadio sono esattamente oggi come erano 50 anni fa.

Milano:

Il palazzo all'angolo a destra non è cambiato.

■ 2a

era ...era ... era ... aspettavano ... Aveva ... faceva ... dicevano ... piangeva ... mostrava ... era

... era ... badava ... vivevamo ... era ... badava ... vivevamo ... eravamo ... era ... amava ... concedeva ... era ... erano ... Aveva ... faceva ... dicevano ... esagerava ... esisteva ... andava ... fermavano ... Era ... applicava ... poteva ... diventava ...
capiva ... divideva ... voleva ... sentiva ... era ... lavorava ... portava ... passava ... cercavano ... potevano ... andavano tornavano ...

■ 2b

da bambino; premuroso; un ometto; il primo della classe; un quartiere; borghese; uno svago

■ 2c

1 ... perché era ubbidiente e premuroso.
2 ... perciò era il primo della classe.
3 ... perché era coraggioso.
4 ... perciò non piangeva e non mostrava mai la paura.
5 ... perché amava profondamente il mare.
6 ... perché aveva una volontà di ferro.
7 ... perciò passava ogni giorno 12 ore in ufficio e portava anche il lavoro a casa.
8 ... perciò era il nemico numero uno della Mafia.

■ 2d

Il padre: *era chimico*
La madre: *era casalinga*
Le sorelle: *aveva due sorelle più grandi*
Il carattere: *era ubbidiente, premuroso, coraggioso, studioso, tenace, amante del lavoro*
Lo stato sociale: *La sua era una famiglia borghese*
Lo stato civile: *era sposato*
Gli svaghi: *il canottaggio*
Il lavoro: *era magistrato*
I colleghi: *alcuni lo criticavano e dicevano che la Mafia non esisteva*
Il suo obiettivo: *sconfiggere la Mafia*
I suoi interessi: *lo studio e lo sport*
La sua morte: *ucciso dalla Mafia il 23 maggio 1992*

■ 3a

Fiaba/Favola: Racconto fantastico per bambini.
Racconto: Storia fantastica piuttosto breve.
Saggistica: Scritto di carattere

critico su un argomento specifico.

Biografia: Narrazione della vita di una persona.

Autobiografia: Opera in cui l'autore narra la propria vita.

Romanzo: Racconto lungo immaginario.

Romanzo giallo: Racconto di vicende poliziesche.

■ 3b

1 Falso. Aveva ricevuto il libro per Natale. 2 Vero. 3 Falso. Ha imparato a leggere con la madre. 4 Falso. I romanzi non le sono mai piaciuti. Preferisce leggere libri di saggistica. 5 Vero.

■ 3c

Domande che si riferiscono al passato:

Che libri le piaceva leggere da bambino/a?

Quanti anni aveva quando ha cominciato a leggere?

Da bambina che libri le piaceva leggere?

Domande che si riferiscono al presente

Che genere di libri le piace leggere?

Ha tempo per leggere adesso?

Quale libro vorrebbe avere su un'isola deserta?

■ 3d

1 Che libri ti/le piacevano da bambino?
2 Ti è piaciuto l'ultimo libro che hai letto? Le è piaciuto l'ultimo libro che ha letto?
3 Ti/le piacciono i romanzi?
4 Ti/le piacevano i libri di fiabe?
5 Ti è piaciuto l'ultimo libro che hai letto?/Le è piaciuto l'ultimo libro che ha letto?

■ 3e

1 Forse il film più noioso che abbia mai visto …
2 Forse il disco più bello che abbia mai sentito …
3 Forse il viaggio più lungo che abbia mai fatto …
4 Forse la persona più simpatica che abbia mai conosciuto …
5 Forse il piatto più buono/delizioso che abbia mai mangiato …
6 Forse la città più interessante che abbia mai visitato …

■ 4a

1 Un pescatore veniva a prenderli in barca.
2 Prestissimo – tutto il giorno.
3 No, con amici.

4 Frutta, panini, acqua.
5 Prendevano il sole, facevano lunghi bagni, ecc.
6 Sì, adesso fanno vacanze organizzate.

■ 5c

C'era un a volta … un pezzo di legno…
Con questo pezzo di legno, avuto in regalo, Geppetto **ha costruito** un burattino che **ha chiamato** Pinocchio. Il burattino **ha cominciato** a muoversi e poi dopo un poco è scappato.

Geppetto lo **ha inseguito** e **ha cercato** di trovarlo, ma **è finito** in prigione. Pinocchio poi **è tornato** a casa, **ha litigato** con il grillo parlante, che **voleva** aiutarlo e, per sbaglio, lo **ha ucciso**. Pinocchio **si è addormentato** con i piedi sul fuoco e si è bruciato i piedi.

Tornato a casa, Geppetto **ha rifatto** i piedi a Pinocchio e poi **ha venduto** la sua giacca per comprare un libro per mandare a scuola Pinocchio. Ma invece di andare a scuola Pinocchio **ha venduto** il libro ed **è andato** a vedere il teatro dei burattini.

Poi invece di tornare a casa, **ha seguito** il gatto e la volpe che lo **hanno derubato**. Poi **ha incontrato** i briganti che **volevano** ucciderlo. Ma la Fata Turchina **ha salvato** Pinocchio. Pinocchio **diceva** molte bugie e ogni volta il naso **diventava** sempre più lungo.

Dopo molte incredibili avventure Pinocchio **è finito** nella pancia di un' enorme balena e qui **ha** finalmente **ritrovato** Geppetto e tutti e due **si sono salvati**.

Alla fine Pinocchio **ha capito** che non **poteva** continuare a comportarsi come un monellaccio e **ha deciso** di mettersi a studiare. Un bel giorno **si è accorto** che non era più un burattino, ma **era** finalmente **diventato** un vero bambino.

■ 8c

1 F. **2** F. **3** V. **4** F. **5** F. **6** V.

■ 8d

Para. 1: 75%; 2007; 380; 700.
Para. 2: 20 000 000
€ 2.500.000.000; 7 miliardi; 4; 2004; 15 000 000; 1.200.000.
Para. 3: 30%; 11%.

8e

1 va bene. 2 meglio. 3 GB.
4 i viaggi. 5 online.

9a

Sardegna – Deledda.
Lombardia – Manzoni.
Marche – Leopardi.
Sicilia – Lampedusa.
Sicilia – Pirandello.

9b

(Possible answers)

1 ... i dadi ...
2 ... collegano posti che iniziano con una certa lettera dell'alfabeto.
3 ... ci si resta 24 ore senza partire.
4 ... in una certa città senza dire dove esattamente, ... telefonare.
5 ... si gira tutta la notte e si riparte la mattina dopo.

9c

1 Ad affermarsi dovunque è la tendenza al viaggio esotico.
2 A stancarsi per primi del turismo tradizionale sono i giovani.
3 A pubblicare i dati è stato il Circolo Studentesco.
4 A vincere ancora in Italia è la settimana bianca.
5 A scrivere la Guida al Contro-Turismo è stato un noto giornalista.

10a

- mensilmente
- non è che resti molto
- non mi posso lamentare
- gente che se la passa peggio
- una buona retribuzione
- non ci manca niente

1 … quello di una volta/anni fa.
2 … di ascoltare la gente/raccogliere le confidenze.
3 … la mole/la quantità del lavoro.
4 … correre.
5 … consegnata in giornata.
6 … di enti e banche/impersonali.
7 … preferisce scrivere cartoline.
8 … 35 kg di posta.
9 … importante/è un legame con la madrepatria.

10b

(Sample answer)

Viveva su un isola … negli anni trenta, dove potreva portare la posta a una sola persona …

■ 11b

1 Perché è troppo caro – in media 20–30% più che al sud.
2 Per 16 anni.
3 Faceva l'insegnante di educazione fisica. Adesso fa il contabile.
4 I trasporti. Il lavoro è lontano, ci vogliono due macchine. C'è un solo ospedale. La scuola è vecchia e umida.
5 Non sembra che torneranno.

■ 11c

1 sulle dita di una mano. 2 a portata di mano. 3 fatte a mano 4 stretto la mano. 5 man mano che. 6 dato una mano. 7 a mani vuote.

■ 11d

1 Benché / sebbene siano contenti, non è stato facile.
2 Sebbene abbiano vissuto al Nord per 16 anni, ora vogliono tornare.
3 Benché ci siano meno servizi, si spende meno.
4 Sebbene il lavoro gli piaccia di meno, Enrico si è adattato.
5 Benché a Torino si possa scegliere l'ospedale, bisogna aspettare di più.
6 Sebbene la scuola sia vecchia e umida, le maestre seguono meglio i bambini.
7 Benché sia ancora presto per giudicare, la famiglia vive meglio.

■ 11e

A SETTIMO TORINESE	
AFFITTO	€ 400
RISCALDAMENTO	€ 90
BABYSITTER	€ 24
PIZZERIA	€ 40
SPESA	€ 450
BENZINA	€ 200
ABBIGLIAMENTO	€ 250
TOTALE	**€ 1454**

A LANCIANO	
AFFITTO	€ —
RISCALDAMENTO	€ 30
BABYSITTER	€ —
PIZZERIA	€ 20
SPESA	€ 350
BENZINA	€ 250
ABBIGLIAMENTO	€ 200
TOTALE	**€ 850**

Risparmio mensile: circa il 40%

11h

scelta	viaggio
sfratto	ritorno
spesa	attesa
trasferimento	guadagno
speranza	risparmio

12b

1 Vero. 2 Vero. 3 Falso. 4 Vero. 5 Vero. 6 Falso. 7 Falso. 8 Vero.

Unità 7

1a

è apparsa.

1c

aspettavamo; c'erano; doveva ancora cominciare

1d

(1) ha fatto. (2) è caduto. (3) è volata. (4) sono finiti. (5) è arrivato.

2a

1 stavo facendo; ho sentito
2 ho fatto; ho dato
3 ho visto; stavano lottando
4 era; conoscevo
5 ha colpita; ho chiamato
6 sono arrivati; era
7 è avvenuto

2b

1 Stavo facendo un bel bagno quando ha squillato il telefono.
2 Stavo uscendo di casa quando è arrivato il postino con un pacco.
3 Stavo facendo una telefonata quando il treno è partito.
4 Stavo leggendo il giornale sul balcone quando è caduto un vaso di fiori dal piano di sopra.

3

1 quando. 2 mentre. 3 appena. 4 quando. 5 mentre. 6 appena. 7 mentre. 8 quando.

4c

1 Gli ho detto che lo avrei amato sempre.
2 Ha scritto che sarebbe arrivato domenica.
3 Aveva promesso che il governo avrebbe abolito le tasse.
4 Hanno detto che sabato sarebbe stato bello.

4e

lo … lei … lo … la … lo … le … lui … le … gli

5

Oggetti
occhiali spessi – stufa a gas – tartine – vassoio d'argento – stemma di famiglia – anello col brillante – lenzuolo – collana

5a

Prima parte

- Il 24 o 25 febbraio del'88.
- Nel cuore della città.
- Vecchia, freddissima, con un grande giardino.
- Due vecchie signore e il figlio di un'altra sorella.
- Un uomo di quasi quarant'anni con occhiali spessi.
- Erano quattro invitati.
- Signore più anziane di Pina, eleganti e ricche.
- Una collana di perle e oro, un regalo di fidanzamento.
- D'argento, grandissimo.

Gli eventi

- Gli invitati sono arrivati alle 4 e hanno cominciato a giocare.
- Verso le cinque e mezzo/sei hanno preso il tè.
- Sta per arrivare una banda di ladri.

5b

Seconda parte

tramestio: *movimento continuo e disordinato*
tonfo: *suono sordo di qualcosa che cade*
urlo: *grido forte e prolungato*
voci concitate: *voci agitate*

1c; **2**g; **3**a; **4**f; **5**h; **6**d; **7**e; **8**b

5c

Terza parte

1. I gioielli – li hanno presi/portati via
2. Le borse – le hanno svuotate.
3. Le giocatrici – le hanno chiuse nel gabinetto.
4. La casa – l'hanno lasciata nel caos.
5. I soldi – li hanno presi.
6. La vecchia signorina – l'hanno buttata per terra.
7. Il nipote – l'hanno picchiato
8. L'anello col brillante: Pina l'ha lasciato cadere.
9. La collana: Pina l'ha nascosta.
10. La polizia: qualcuno l'ha chiamata.

5d

stretti come le sardine: *uno sopra l'altro*
quatti quatti: *in punta di piedi*
morti di paura: *molto spaventati*
l'ira di Dio: *il caos*

7

Un pomeriggio **sono uscito** dalla MultiCo. La strada e le macchine e tutto il paesaggio

erano allagate di pioggia, **luccicavano** nel semibuio delle cinque. **Ho aperto** l'ombrello, **ho camminato** verso casa con passo da milanese. **Sono arrivato** a un semaforo, **mi sono fermato** al rosso e **ho visto** Malaidina ferma all'altro lato della strada.

Aveva una giacca di finta pelliccetta, del tipo di cui son fatti i piccoli orsi per bambini. **Aveva** un cappello da marinaio norvegese; aveva uno sguardo da pioggia. **Aspettava** il verde sul marciapiedi affollato di ombrelli, così chiara e nitida tra le altre figure.

Le **ho fatto** un cenno, ma lei non mi **ha visto** perché **stava guardando** l'acqua che **scorreva** a rivoli appena oltre l'orlo del marciapiedi. Il semaforo **ha cambiato** colore, la gente **si è precipitata** avanti dai due lati della strada; le automobili **si sono precipitate** parallele alla gente. **Sono rimasto** fermo dov'ero, **mi sono puntellato** sui piedi per resistere alle spinte di quelli dietro di me, che mi **passavano** da destra e da sinistra e **si giravano** a guardarmi con rabbia. **Sono stato fermo** finchè Malaidina mi **è arrivata** davanti.

Le **ho detto** 'Ciao', le **ho toccato** una spalla; **ho inclinato** l'ombrello per mostrarle la faccia. Lei mi **ha guardato** rapida con i suoi occhi chiari. C'era più luce nei suoi occhi che in tutto il paesaggio attorno, inclusi i fari delle macchine e i lampioni e le vetrine.

■ 9b

Ospedali, servizi pubblici, palestre, luoghi di ricreazione, discoteche, sale per congressi, sale per conferenze, cinema, teatri, musei, negozi, ristoranti, bar, luoghi di lavori pubblici e privati, mezzi di trasporto pubblici come treni, aerei, autobus, etc.

■ 9c

polmoni = tumore
cuore = infarto
cervello = ictus
circolazione = arteriosclerosi
capelli = caduta
pelle = invecchiamento
stomaco = gastrite, ulcera

■ 10a

1 Già da tempo si pensava che danneggiasse la pelle.
2 Già da tempo si pensava che nascessero pochi bambini.
3 Già da tempo si pensava che stesse cambiando.
4 Già da tempo si pensava che fosse il mezzo di trasporto più sicuro.

■ 10b

1 Credevo che vivesse a Viale Maraini.
2 Credevo che parlasse greco.
3 Credevo che fosse fidanzato con Lia.
4 Credevo che lavorasse alla Fiat.
5 Credevo che gli piacesse il jazz.

■ 11a

1 Penso che Giovanna abbia fatto lunghe passeggiate.
2 Penso che non sia stato facile.
3 Penso che Anna abbia smesso diverse volte e poi abbia ricominciato.
4 Penso che una volta abbia visto un documentario e che si sia spaventata.
5 Penso che non abbia toccato una sigaretta per più di un anno.
6 Penso che Piero abbia provato un'infinità di volte e non ci sia riuscito.

■ 11b

Se fossi in lei prenderei la decisione e fisserei il giorno in cui vuole smettere.
Se fossi in lei eliminerei tutte le sigarette, senza eccezione.
Se fossi in lei smetterei con un amico, perché in due è più facile.
Se fossi in lei resisterei alle tentazioni. Non accetterei sigarette da nessuno.
Se fossi in lei mi concederei un piacere ogni tanto.
Se fossi in lei non drammatizzerei se non ha successo immediatamente.
Se fossi in lei userei le pillole speciali alla nicotina, soprattutto all'inizio.

Unità 8

■ 1a

Numero di figli per donna:
1965 = 2,6; 1985 = 1,45;
1995 = 1,18; 2005 = 1,25;
2010 = 1,33.

■ 1b

vertigin**oso;** nasc**ite;**

amministra**zione;** natal**ità;** relig**ioso;** maggior**anza;** rispo**sta.**

1d

(Sample answers)

1 Perché secondo lei le donne italiane non fanno più figli?
2 È vero che c'è stato un vertiginoso calo delle nascite?
3 Quanti bambini sono nati quest'anno a Laviano?
4 Lei ha figli?
5 Lei ha voglia di avere altri figli / un secondo figlio?
6 Da che dipende?
7 Suo marito / il suo partner l'aiuta/collabora/ in casa?
8 Lei avrebbe figli se il padre se ne occupasse?

1e

Com'è possibile ...

1 ... che Mario non abbia preso il congedo?
2 ... che i nonni abbiano avuto tanta pazienza?
3 ... che Sandra abbia rinunciato a una carriera così promettente?
4 ... che Diana si sia vestita così elegante in due minuti?
5 ... che le macchine non siano già diminuite?
6 ... che Franco abbia messo tanto tempo per finire il lavoro?

1f

(Sample answers)

1 Dato che le donne non vogliono fare più figli, la conseguenza è che gli italiani si estingueranno.
2 Dato che i mariti aiutano poco o nulla, le donne non hanno voglia di fare altri figli.
3 Dato che gli svedesi aiutano molto in casa, il tasso di natalità è più alto di quello italiano del 50%.

2a

1 Divano
2 Portacenere
3 Telefono/telefonino/cellulare
4 Valigia.
5 (Forno a) microonde
6 Specchi
7 Vespa/Utilitaria

2b

1 Sì, effettivamente se ne parla molto.
2 Me ne ricorderò certamente.
3 Come no, te ne presto due.
4 Sì, se ne va a New York.
5 Assolutamente, gliene parlo stasera.

6 All'inizio era solo un'amica, poi ho finito per innamorarmene.
7 Ce ne vorranno senz'altro tre.
8 La solitudine è brutta quando non è una scelta.
9 Non è vero, sebbene ci sia più indifferenza e meno comunicazione.

■ 3b

(Sample answers)

1 Non capisco perché sia un'ottima idea.
2 Dubito che basti un monolocale.
3 Non vedo perché la cucina deva/debba essere piccola.
4 Non so se (ci) vadano bene.
5 Non vedo perché un grande specchio sia indipensabile.
6 Dubito che un bel divano renda la casa più confortevole.

■ 4a **(Studente A)**

1 No, ma ha un fidanzato.
2 Perché sta benisimo da sola.
3 Si organizza la vita come vuole, sceglie e decide tutto lei.
4 Si sveglia e ascolta musica. Poi lavora tutto il giorno con il suo segretario.
5 Non da sola. Esce con amici o con il fidanzato.
6 Lei non cucina, in genere quando è a casa fa spuntini.
7 È difficile ottenere l'affidamento dei bambini.

■ 4b **(Studente A)**

- Luciano è un solitario di vecchia data.
- Sa di aver commesso un errore.
- Si va avanti bene a patto di non sentirsi mai soli.
- Abbiamo tutti una cerchia di amici fidati.
- Se ha gente in casa, non vede l'ora che se ne vadano.
- Si tratta di moderare le proprie pretese.

■ 4a **Studente B**

1 Sì, per quattro anni. Ora è divorziato.
2 La libertà.
3 Si è accorto di aver fatto uno sbaglio sposandosi / di non appartenere alla categoria dell'amore.
4 I single hanno bisogno di affetto come e più degli altri.
5 Non si deve essere mai soli, bisogna avere amici fidati.
6 Luciano è in ottimi rapporti con la sua famiglia ma non può viverci insieme.

7 Moderare le proprie pretese e sapersi organizzare. / Non chiedere troppo e organizzarsi.
8 Nessuno. Va ogni giorno al ristorante sotto casa.
9 Di libri.

■ 4b (Studente B)

- Simona vive in una bella casa spaziosa, in barba alle statistiche.
- Lavora tutto il giorno, non fa altro.
- Con tanto da fare, la sua vita ha ritmi serrati.
- In casa fa quello che vuole, è lei il capofamiglia.
- Secondo Simona, oggi si comunica male, ma non è che ci si ami di meno.

■ 5a

1 Non si respira
2 Quella ghiaia
3 Un bravo uomo d'affari
4 Traffici sospetti
5 Scheda bianca

■ 5b

a due passi da – parole sante – non le dico – abbiamo dato il via a – una guerra senza quartiere – un affarone – ci hanno preso per i fondelli – voteremo scheda bianca – non ne possiamo più.

■ 5c

La gente di Quaderni **si ribella** subito. **Trasforma** il 'Comitato anti-cava' nel nuovo 'Comitato Ecologico contro la Discarica'; **elegge** come presidente la combattiva Mariella Z. e **dà** il via a una guerra senza quartiere. **Scrive** ai giornali, **presenta** esposti, **ostruisce** con le macchine la stradina che porta alla discarica. La gente **giura** di vedere ogni tanto dei camion che scaricano di nascosto, a notte fonda.

■ 5d

2 Cava sfruttata al massimo < ghiaia meravigliosa
3 Affarone per il proprietario < contratto per tonnellate di rifiuti
4 Sospetti < Camion che scaricano di nascosto/ di notte
5 Rischi < falda acquifera sfondata + livelli alti di cloro-derivati e di zinco
6 Scheda bianca < protesta

2 La cava è stata sfruttata al massimo perché c'era una bellissima ghiaia.

3 È un affare per il proprietario grazie a un accordo vantaggioso con il Comune.
4 La gente ha sospetti a causa dei camion che scaricano di notte.
5 Ci sono rischi a causa degli alti livelli di cloro-derivati.
6 I cittadini voteranno scheda bianca in seguito ai guai della discarica.

■ 6a

1d. **2**c. **3**a. **4**e. **5**b.

■ 7a

(Sample answers)

Il progetto porterà grandi benefici ambientali.

Il calore farà crescere una giungla.

Il compostaggio trasformerà il materiale organico in concime.

La produzione di elettricità renderà il progetto autosufficiente.

I problemi saranno trasformati in opportunità.

■ 7b

1 Una montagna di rifiuti organici.
2 Con la decomposizione dei rifiuti.
3 Il Progetto Eden in Cornovaglia.
4 La produzione di calore e elettricità.
5 Riciclando ogni tipo di rifiuti.
6 Veder crescere una foresta pluviale.

■ 8c

Ragioni e scopo della fuga:

T&L: Sono fuggite per evadere da un posto noioso.

A&I : Sono fuggite per evadere dal paese e per cercare un lavoro.

Mezzo di trasporto:

T&L : Una macchina.

A&I : Il treno.

Da dove sono fuggite:

T&L : Da una piccola città

A&I : Da Serre, un paese vicino a Salerno.

Dove sono andate:

T&L : Nel deserto.

A&I : A Genova.

Alloggio durante la fuga:

T&L : Un piccolo albergo.

A&I : Un modesto albergo.

Chi hanno lasciato:

T&L: Un marito e un fidanzato.

A&I : Marito e figli.

Chi le ha inseguite:

T&L : La polizia federale.

A&I : Poliziotti tranquilli.

Conclusione della fuga:
T&L : Un salto nel vuoto.
A&I: Incontro con i mariti alla stazione di Genova.

■ 8f

una notizia incredibile, cioè una notizia che non si può credere
un oggetto introvabile, cioè un oggetto che non si può trovare
un giocattolo indistruttibile, cioè un giocattolo che non si può distruggere
un bambino insopportabile, cioè un bambino che non si può sopportare
una cosa invisibile, cioè una cosa che non si può vedere
una critica intollerabile, cioè una critica che non si può tollerare

■ 9a

1 Il gestore del bar interno ha notato che l'entrata della galleria era stata lasciata aperta.
2 Potrebbe trattarsi di un furto su commissione.
3 Si sono presentati con il passamontagna, guanti alle mani e senza scarpe per evitare di lasciare impronte. Hanno anche estratto la videocassetta del sistema di controllo e l'hanno portata via.
4 Il museo non ha guardiani armati, solo controllori disarmati e apparecchiature elettroniche.

■ 9b

1 I quadri sono stati portati via da tre uomini.
2 L'allarme è stato dato dal gestore.
3 L'entrata era stata lasciata aperta.
4 Le tre custodi sono state trovate legate.
5 Le tre custodi sono state minacciate dai ladri.
6 Le tre donne sono state legate.
7 Le custodi sono state imbavagliate.
8 Le donne sono state chiuse in un bagno.
9 Le donne sono state costrette a staccare gli allarmi.

Recording transcripts

NB *This section includes all the recorded material except the dialogues and extracts that appear in the* Student's Book.

Unità 1

■ Focus *(pag. 7)*

Mariella Coletti – 35 anni – ricercatrice
Il panorama: in Italia è incredibilmente diverso da regione a regione. Dovunque sei puoi raggiungere il mare o le montagne, in pochissimo tempo. Mi piace anche la lingua, il modo in cui comunichiamo.

Luigi Rossi – 40 anni – albergatore
Mi piace tutto dell'Italia, specialmente il nostro stile di vita rilassato. E poi la nostra storia ricca, la nostra cultura … e anche il nostro calcio, la cucina, il cinema e mille altre cose.

Susanna Candidi – 26 anni – impiegata
Il mare, il clima, l'estate. Qui in Sardegna la natura è meravigliosa. Mi piace anche il fatto che cerchiamo di divertirci. I nostri treni non sempre partono o arrivano in tempo, ma non siamo ossessionati dall'efficenza, non drammatizziamo: mentre aspettiamo cominciamo a parlare con gli altri.

Barbara Polito – 27 anni – studentessa di architettura
Mi piace tutto dell'Italia, la natura, l'architettura, la cultura, la cucina, il clima; non c'è un posto migliore dove vivere. Mi piace in particolare la Toscana: solo a guardare quel paesaggio di colline ondulate, città medievali, vigneti mi sento felice.

■ 2 **(Michael e Marina)** *(pag. 9)*

M Raccontami un po' di te, Michael.
ME Allora, sono Michael, sono nato qui in Inghilterra a Londra. Anche i miei genitori sono nati in Inghilterra, anche se i nonni vengono un po' dappertutto, dalla Russia, dall'Ucraina, dalla Lettonia e dalla Germania. Ho studiato in Inghilterra, a Oxford: ho fatto l'università, poi sono diventato avvocato.
M Michael, come parli bene l'italiano, dove l'hai studiato?
ME L'ho studiato a Perugia, all'Università italiana per stranieri.

M Per quanto tempo?
ME Per tre mesi. Però avevo già fatto il latino e il francese, quindi per me l'italiano era abbastanza facile... Poi dopo ho avuto una ragazza italiana, che aiuta molto... Vivo da sempre qui a Londra e nei dintorni, ma ho fatto questo corso a Perugia per tre mesi... Ho vissuto lì, e poi quasi trent'anni fa ho vissuto in Francia a Nancy, dove ho fatto un corso all'Università.
M Per quanto tempo?
ME Per quattro mesi. Ho viaggiato parecchio, principalmente in Europa prima come studente poi dopo per vacanze, e per lavoro anche. Vado abbastanza spesso in Italia, ogni due ... ogni tre o quattro mesi. Ho viaggiato anche un po' in America. Sono stato in Cina anche.

(Sergio e Giovanna)
G Senta, da quanto tempo è in Inghilterra, a Londra?
S Ormai mi trovo in Inghilterra da più o meno quattro mesi.
G E prima di venire a Londra dove era, dov'è andato?
S Prima di venire a Londra ero iscritto alla facoltà di scienze politiche dell'Università di Pavia e prima ancora mi trovavo in America del Nord, in Canada.
G Quanto tempo è rimasto in Canada?
S Ho passato più o meno due anni in America del Nord, di cui un anno e mezzo in Canada e gli altri sei mesi viaggiando per gli Stati Uniti, e mi sono spinto fino a Sud America.
G Perciò, tutto insieme, quanto tempo è rimasto in America, due anni?
S Due anni.
G E poi, dopo l'America, dove è andato?
S Dopo sono tornato in Europa, sono tornato in Italia, ho cominciato l'università, ... Ho cominciato questa facoltà di scienze politiche. Nel tempo che avevo libero, lavoravo, e ho anche viaggiato sempre per motivi di lavoro e anche di svago.
G E per quanto tempo è rimasto in Italia in questo periodo di studio?
S Sono rimasto in Italia più o meno 3 anni.
G E poi, dopo l'Italia dove è andato?
S In Spagna.
G E per quanto tempo?
S Mi sono fermato in Spagna praticamente per tre mesi, antecedenti alla mia venuta in Inghilterra.

(Rossana)
Mi chiamo Rossana, sono italiana, sono nata a Torino in Piemonte, ma da molti anni vivo a Liverpool. Ho anche vissuto a Praga per tre mesi negli anni 80. Ho passato molte vacanze di studio in Francia, soprattutto in Borgogna, in Provenza e sulla costa atlantica. Nell' 89, anzi nel 1989, sono stata in Germania per circa un mese, dove ho visitato Bonn e Heidelberg. Non conosco purtroppo molto bene certe parti del mio paese – per esempio non sono mai andata a Napoli, e non ho ancora visitato il Nord-est dell'Italia, a parte Venezia naturalmente.
Ora insegno l'italiano nel mio istituto da ... vediamo, da otto anni; ma per cinque anni ho anche insegnato il francese.

(Elena)
Io sono Elena, abito a Modena, sono italiana, e anche i miei genitori sono di Modena. Ho imparato l'inglese a scuola e questa e la prima volta che vengo a Londra. All'estero sono stata ... in Yugoslavia e in Austria, ma soltanto per vacanza.

■ 6 **(Raffaele e Giovanna)**
(pag. 14)

G Che cosa ha fatto di bello quest'estate?
R Quest'estate sono stato in Spagna.
G Sei stato solo o con la famiglia?
R No, sono stato con mia moglie e i miei figli. Siamo andati lì in aeroplano e poi a Barcellona abbiamo preso in affitto un'automobile e abbiamo continuato il viaggio in macchina.
G E fino dove siete arrivati?
R Siamo arrivati fino a Santiago di Compostela.
G Non ho idea di dove sia.
R Santiago di Compostela si trova sulla costa atlantica della Spagna.
G E qual è la città più bella che hai visto in Spagna?
R La città più bella che ho visto forse è Salamanca, perché è una città antica, con grandi monumenti, con un centro storico molto importante e molto ben tenuto e soprattutto con un'antica storia di città di cultura.
G E quanti giorni siete rimasti a Salamanca?
R Siamo rimasti a Salamanca due giorni e mezzo, perché in ogni città ci siamo fermati due o tre giorni.

G Ah, benissimo, e che facevate durante il giorno?
R Be', la mattina andavamo in giro per le città visitando cattedrali, musei, conventi qualche volta, poi ci fermavamo a mangiare alla spagnola. E cioè in questi...
G Ristoranti.
R Bè, abbiamo scoperto che gli spagnoli hanno una curiosa abitudine che per noi italiani è abbastanza interessante e cioè nei loro caffè hanno sempre la possibilità di mangiare, mangiare piccole cose, mangiare degli spuntini molto gustosi, molto saporiti, anche a buon prezzo. Nel pomeriggio andavamo spesso in piscina e abbiamo scoperto che la Spagna ha delle bellissime piscine. Questo non lo sapevamo e ci è sembrata una cosa piuttosto sorprendente.
G Sì, che era poi l'ideale per i ragazzi.
R Infatti, anche perché i ragazzi così potevano nuotare, potevano divertirsi e anche stancarsi un po'. La sera facevamo grandi banchetti alla spagnola, mangiando paella, mangiando molto pesce, abbastanza a buon mercato, mangiando grandi bistecche, grandi frittate che loro chiamano tortillas, bevendo buon vino spagnolo.
G E dopo cena?
R Dopo cena tutti a letto perché a quel punto eravamo piuttosto stanchi.

■ 9 *(pag. 16)*

1 – Pronto?
– Pronto, sono Marisa. C'è Claudio per favore?
– Sì, un attimo che glielo passo.

2 – Pronto, Teatro Argentina?
– No, qui Ditta Baresi.
– Oh scusi, ho sbagliato numero.

3 – Ditta Baresi, buongiorno.
– Pronto ... Teatro Argentina?
– No, qui Ditta Baresi.
– Ma non è lo 06 53 72 301?
– No, guardi, ha sbagliato numero.

4 – Pronto, casa Capua.
– Pronto, vorrei parlare con Clelia per favore.
– Mi dispiace, non c'è.
– Quando rientra?
– Verso le otto.

5 – Pronto, Studio Sacchi. Desidera?
– Sono John Cooper. C'è l'avvocato per cortesia?
– Mi dispiace, in questo momento è occupato.
– Allora richiamo più tardi.

6 – Pronto, vorrei parlare con la dottoressa De Angeli.
– Chi parla, scusi?

– Anna Trentin.
– Un attimo, attenda in linea.

■ 11 **(Massimo e Paola)** *(pag. 21)*

P Pronto Massimo, mi senti?
M Certo che ti sento, perché? Dove sei?
P Sono in banca, sto facendo la fila e c'è confusione – c'è molta gente.
M Brava, volevo chiamarti anch'io, per dirti una cosa, però ... lo sai che non mi ricordo più? Ho perso il filo.
P Non importa, ne parliamo stasera. Senti, non trovo le mie chiavi di casa, devono essere lì sul tavolo. Le hai viste?
M Aspetta un attimo ... sì, eccole.
P Menomale. Ora però non posso parlare, sono già alla cassa. E poi ho una riunione e non voglio arrivare in ritardo, c'è un sacco di traffico oggi.
M Ah il traffico! Ecco, adesso mi ricordo. Ho comprato una Vespa! Di seconda mano, carinissima! Non perdere tempo con l'autobus stasera, ti vengo a prendere io. Se puoi, chiamami quando finisci.
P Massimo, la Vespa! Che bellezza! Come ai vecchi tempi!

Unità 2

■ 3 **(Flavia e Marina)** *(pag. 32)*

M Mi puoi descrivere la tua famiglia, quanti siete?
F Allora, noi siamo quattro – e forse come madre è meglio che io descriva subito i miei figli – perché sono molto simpatici, tutti e due.
M Come si chiamano?
F Si chiamano Stefano e Lorenza. Ormai sono grandi. Ecco – uno è già medico e ha 27 anni e l'altra invece è molto più piccola e fa ancora la scuola superiore. Veramente adesso si è iscritta al primo anno di università e fa architettura.
M Me la puoi descrivere?
F Allora, Lorenza. Certo, bisogna descrivere prima Lorenza – perché Lorenza è più capricciosa, più appariscente, più graziosa e anche più alta forse di Stefano. In ogni modo, i miei due figli sono tutti e due abbastanza simpatici soprattutto e molto piacevoli da starci insieme. In particolare questa Lorenza è piuttosto allegra, un po' frivola – però non del tutto, in una maniera abbastanza gradevole. Le piace molto la compagnia – ha tantissime amiche che telefonano continuamente in

casa. La nostra casa è bombardata dalle telefonate delle sue amiche, e non tanto dai suoi amici … Perché lei è un tipo che, nonostante la sua frivolezza, ha un boyfriend ormai da tre anni, sempre lo stesso, sempre lo stesso! – che si chiama Vincenzo e che è molto simpatico, ed è come dire, si direbbe … una 'permanent feature' ormai nella famiglia. Lei ama molto anche fare ginnastica, ama molto …

M È sportiva?

F Sì, è sportiva. Le piace nuotare, le piace molto sciare.

M È brava a sciare?

F È brava a sciare – ma non ci va tanto perché lo sci è uno sport abbastanza costoso.

M Stefano?

F Stefano è abbastanza alto, è molto differente da Lorenza perché è piuttosto biondo mentre lei è piuttosto scura di capelli. Somiglia un po' al suo papà, quindi ha dei tratti abbastanza fini – ma somiglia anche a me nella … nei tratti del viso proprio, che invece di essere…invece di avere zigomi abbastanza larghi è piuttosto…ha una faccia un po' affilata, una faccia un po' affilata.

M Ho notato che anche Lorenza somiglia sia a te sia a Franco.

F Sì sì somiglia a Franco.

M Molto a Franco.

F Molto a Franco.

M Ma anche a te.

F Sì negli occhi, forse.

M Il sorriso, gli occhi, sì.

F Lui invece non è affatto frivolo, è molto posato, attento…
È molto interessato ai fatti politici e a qualsiasi cosa avvenga … È molto umano anche, cioè ha un forte interesse per le persone – e secondo me sarebbe un bravo psicologo – mentre invece ha preso degli studi di tipo neurologico. Però forse nel futuro sarà indirizzato verso studi di neuropsicologia.

M Molto interessante – è un campo molto difficile.

F Ma lui … è una persona … Sì, è un campo molto difficile, ma io penso che le sue maggiori soddisfazioni le avrà proprio nel suo rapporto con le persone, perché ha un forte interesse umano, un forte interesse per gli esseri umani proprio.

■ 7 **(Maria Vittoria e Marco)** *(pag. 38)*

M Senti, Maria Vittoria, come si vestono i giovani in Italia? Che atteggiamento hanno verso il vestire?
MV I giovani in italia si vestono in modo abbastanza eterogeneo. Alcuni sono decisamente accurati altri invece sembrano vestiti di stracci ... Certo sono consapevoli del fattore moda, e non a caso visto che la moda è una delle più importanti industrie italiane.
M Spendono molto?
MV Gli italiani giovani spendono ... non so quanti soldi ma certo una buona dose di energie per i vestiti – e spesso nei negozi di abiti usati, che crescono come funghi soprattutto nelle grandi città...Mi sembra che spendano di più i giovanissimi sotto i quattordici, per intenderci. E più i ragazzi di paese che quelli di città. Un mio studente, Gianluca, mi ha detto che secondo lui i ragazzi e le ragazze di oggi si vestono per dimostrare la loro appartenenza alla 'tribù', la loro scelta sociale. Rispetto agli altri europei (lui conosce la Scozia dove va spesso) i ragazzi italiani sono certo più attenti al modo di vestirsi e sono considerati tali dagli altri.

(Daniela e Marco)
M Secondo te, Daniela, come si vestono i giovani in Italia? Che atteggiamento hanno verso il vestire?
D I giovani hanno un loro stile, trasandato quanto basta: pantaloni molto larghi, cavallo basso, camicie larghe, felpe sportive, giubbotti, scarpe da ginnastica, berretto con visiera spesso indossato al contrario. Molti cercano la 'firma' nell'abbigliamento sportivo, ma credo che in genere l'atteggiamento sia di grande libertà, come affermazione della propria persona. Oltre al vestire, anche in Italia ha preso piede il piercing sul viso e la colorazione spinta dei capelli.
M Spendono molto?
D Spendono molto i figli di genitori benestanti, poco chi non può, ma il risultato non cambia.
M Ti sembrano conformisti nel vestire?
D La moda c'è sempre stata, e i giovani la seguono: i jeans negli anni '60, i 'flares' negli anni '70... Secondo me non c'è più molta differenza tra i giovani italiani, francesi,

inglesi... Chi fa parte del gruppo indossa la 'divisa' di appartenenza, a Roma come altrove. elsewhere

12 **(Silvia e Giovanna)**

G Ma quanto spende un giovane per i vestiti in Italia per esempio?

S Parecchio.

G Per darmi un'idea, perché io veramente non ho un'idea precisa.

S Ma, per esempio un paio di jeans di moda, anche se purtroppo è difficile trovare jeans non di moda, non con la firma e costa anche 60–70 euro e sono parecchie, sono tradotte in sterline circa 50 sterline per un paio normale di jeans solo perché va di moda Levis o va di moda americanino o altre marche di cui non sono molto al corrente.

G Ma allora quanto può spendere una ragazza,... per esempio come lei, quanto spenderebbe per i vestiti?

S Ma, se chiede a me, io spenderei il minimo indispensabile, mi piace cambiare però non mi piace spendere tanto, in fatti per me qui è l'ideale, perché veramente posso trovare di tutto.

G Ma per esempio le sue amiche quanto spendono?

S Spendono tanto perché se poi ... non so, una maglia, soltanto perché è di Enrico Coveri costa anche 150 euro, 130 euro.

G Una borsa per esempio?

S Una borsa...le borse sono molto care e una borsa in pelle costa sui 120 euro.

G E le scarpe?

S Le scarpe anche sui 100–120 euro.

G Perciò tutto è piuttosto caro.

S Tutto è caro sì.

G Si finisce per un inverno a parlare anche di 700 euro.

S Anche di 700 tranquillamente. Sì perché poi anche i giubbotti sono molto costosi.

■ 9 **(Paolo e Carmela)**
(pag. 40)

P Oh ciao.

C Ciao come stai?

P Bene, bene – Però ...

C Però cosa – cosa ti è successo?

P Oh, ci ho un po' di problemi con i miei figli.

C Ma va!? Come mai?

P Eh – se sapessi ... Ci ho uno che non pensa a altro che a divertirsi.

C Ma no, ma non è vero!

P Eh, ma secondo me i giovani di oggi sono cambiati, sai ...

C Davvero! – pensi che siano cambiati i giovani?
P Oh tanto! Il mio pensa solo a guardare la televisione, a uscire con gli amici, a andare in discoteca. Di studiare, poi, non se ne parla.
C Ma guarda, a mio parere influiscono molto le amicizie.
P Infatti, infatti. Sono sicuro, perché ho visto che lui ci ha un gruppetto di amici che … non mi piacciono, non mi piacciono affatto.
C Ma sì senti, è così, è proprio vero … Perché in effetti la figlia della signora Rossi ha degli amici incredibili e la signora Rossi ha tanti problemi con questa figlia. Mentre invece il ragazzo frequenta proprio dei ragazzi per bene e al contrario non ha nessun problema.
P Eh, può darsi, può darsi. Penso che tu abbia ragione perché ho saputo di questa signora Rossi e so che a volte succede. Gli amici, l'amicizia … sì, è molto importante.
C Sì, sono d'accordo – sono d'accordo perché sì gli amici sono proprio importanti a questa età.

■ 11 **(Maria Vittoria e Marco)** *(pag. 44)*

M Vorrei sapere se secondo te questa dieta, questo modo di vivere quasi, direi, ha preso piede in Italia e se ti sembra che i giovani siano interessati.
MV Dunque, se … se la cucina e la dieta vegetariana sia diffusa in Italia, potrei dire tranquillamente di sì, anche perché da noi è facile avere le verdure fresche, la frutta e cosi via. Quindi questa è come una … diciamo un approfondimento di una tradizione e di una cultura già esistente. La dieta vegetariana per motivi chiamiamoli ideali o spirituali. Praticamente non esiste. Esistono i verdi. Esistono tutte le leghe, i movimenti, la lega contro la vivisezione, contro l'uso degli animali negli esperimenti scientifici e tutte queste cose. In linea di massima quello che si può dire è che c'è una maggiore attenzione alla dieta, a quello che si mangia. Per esempio, un elemento della dieta che è molto sottolineato e direi che da molti è seguito, anche giovani, è quello di usare esclusivamente olio di oliva extravergine, possibilmente italiano. In

questo c'è anche un certo patriottismo, perché si crede (e non senza ragione) che effettivamente la cucina mediterranea, che è poi la cucina vegetariana più divertente e più piacevole, abbia la sua origine proprio in Italia.

■ 12 **(Mario)** *(pag. 45)*

Siamo tanti piccoli gruppi di persone che hanno scelto uno stile di vita più sobrio e naturale e si stanno diffondendo con successo in tutto il paese. Tra di noi ci sono intellettuali e operai, casalinghe e professionisti, adulti e bambini. Vogliamo influenzare, lentamente, i consumi italiani. 'Mangiare genuino significa anche vivere in un certo modo' – spiega Mario. Insieme al nostro gruppo (siamo circa 50 famiglie) cerchiamo produttori locali con cui possiamo stabilire un rapporto di fiducia. Il nostro produttore deve essere 'piccolo, locale, bio e etico'! Deve credere in valori come il rispetto della natura e dei diritti dell'uomo, la semplicità dei metodi di lavorazione e il rifiuto di utilizzare additivi chimici. Per questa ragione, nelle domeniche libere, noi organizziamo gite in campagna o in montagna alla scoperta di ditte familiari o fattorie che producono cibo genuino con mezzi artigianali. Inoltre, ordinando per tante famiglie, otteniamo prezzi molto convenienti. Frutta e verdura le acquistiamo una volta alla settimana: ogni famiglia decide cosa chiedere, poi facciamo un ordine comune. Per il pane di ogni giorno si sceglie farina biologica macinata a pietra, e per le altre cose come caffè, zucchero, olio, vino, legumi secchi eccetera si fanno ordinazioni due o tre volte l'anno. Mangiamo sano, 'giusto' e in armonia con l'ambiente. E l'idea del gruppo – ecco l'altro vantaggio – ricrea l'antica struttura del vicinato amichevole e solidale.'

Unità 3

■ 1a *(pag. 49)*

E abbiamo ancora alcuni appelli:

Il signor Sergio Erba, che viaggia su una FIAT Regata targata MS185BFG, è pregato di mettersi immediatamente in contatto con la famiglia. Ripetiamo: Il signor Sergio

Erba, che viaggia su una FIAT Regata targata MS185BFG, è pregato di mettersi immediatamente in contatto con la famiglia.

I coniugi Gino Rorato ed Edit Mara-Pilot, che viaggiano su una Ritmo bianca con roulotte targata PD361NR e che si trovano in un campeggio nei dintorni di Pola, sono pregati di rientrare immediatamente a casa o di mettersi in contatto con la famiglia Viol al 64 71 88. Ripetiamo: I coniugi Gino Rorato ed Edit Mara-Pilot, che viaggiano su una Ritmo bianca con roulotte targata PD361NR e che si trovano in un campeggio nei dintorni di Pola, sono pregati di rientrare immediatamente a casa o di mettersi in contatto con la famiglia Viol al 64 71 88.

Ed ancora un ultimo appello: il signor Giacomo Schillizzi di Bellinzona, che viaggia su una Fiat blu, è pregato di chiamare immediatamente la famiglia al 35 80 00. Il signor Giacomo Schillizzi di Bellinzona, che viaggia su una Fiat blu, è pregato di chiamare immediatamente la famiglia al 35 80 00.

■ 3 *(pag. 52)*

Sulle strade intasate dalle migliaia di auto dei vacanzieri che tornano in città, meno incidenti di quanto non sia accaduto nell'analogo periodo dell'anno scorso e qualche curiosità. È nato anche un bambino in un ingorgo: al casello di Bolzano sull'autostrada del Brennero una donna ha partorito in ambulanza un maschietto di quattro chili.
Ieri dunque seconda giornata di contro- esodo, ma i grossi intasamenti previsti non si sono verificati. Il traffico è stato intenso ma regolare. Il grande rientro è rimandato al prossimo weekend.
Qualche problema sull'A1 vicino a Mugello, dove ieri era in programma il Gran Premio di motociclismo.
Circolazione lenta su tutta la A4 in direzione Nord.
Colonne sulla A4 nel tratto Trieste-Venezia per i turisti che hanno lasciato le spiagge dell'Adriatico.
Traffico rallentato anche ai valichi.
Purtroppo non sono mancati incidenti anche mortali: sono state tre le vittime ieri.

9 *(pag. 57)*

1 – Buongiorno. Dica?
– Buongiorno. Senta, la ruota sinistra davanti è a terra. Potrebbe aiutarmi a cambiarla?
– Sì, signora. Gliela cambio subito.

2 – Buongiorno. Benzina?
– Buongiorno. No. Ho il parabrezza rotto. Mi potrebbe dire dove posso andare per cambiarlo?
– Non si preoccupi, glielo cambio io.

3 – Buonasera. Benzina?
– Verde, 30 euro, per favore. Senta, il faro a destra non funziona. Potrebbe ripararlo?
– Sì, ci vuole solo un momento.

4 – Buongiorno. Dica?
– Senta, ho la batteria scarica. Posso comprarne una nuova quì?
– Sì, ecco la batteria nuova, signora. Altro?
– Sì, 20 euro di verde per favore.

5 – Buonasera. Benzina?
– Buonasera. Ho bisogno del suo aiuto! I freni non funzionano per niente e ho paura di finire contro un albero. Le dispiacerebbe controllarli e magari ripararli?
– Sì, subito. Ci penso io.

6 – Buongiorno. facciamo il pieno?
– Buongiorno. Sì, faccia il pieno, per favore. Per fortuna è aperto! La benzina è completamente finita.

7 – Buongiorno. Benzina o diesel?
– Buongiorno. Diesel, 30 euro, per favore. Scusi, le dispiacerebbe controllare l'olio? Ho paura che sia finito.

12 *(pag. 61)*

Insomma, senti, la partenza per le vacanze è stata pazzesca. Mia moglie veniva da Firenze e ci aspettava all'aeroporto di Pisa. Io ho preso i bambini e ci siamo messi in macchina con un caldo allucinante – c'erano 30 gradi all'ombra – era mezzogiorno e l'aereo partiva da Pisa all'una! Non avevamo fatto in tempo a pranzare, quindi i bambini avevano una fame da lupo, e dopo un po' anche una sete spaventosa – perché i panini se li erano mangiati tutti e l'acqua minerale era finita.

Io avevo una paura tremenda di perdere l'aereo e non volevo fermarmi – guidavo come un matto. Poi però con il caldo mi è venuto un sonno, un sonno da morire, e mi sono dovuto fermare per ... per cercare di svegliarmi. Siamo scesi a un autogrill sull'autostrada. Dentro c'era l'aria condizionata e faceva un freddo cane, sai com'è con l'aria condizionata, così di corsa ho comprato l'acqua minerale, ho pagato e siamo ripartiti a cento all'ora. Una fretta bestiale...ma, ce l'abbiamo fatta. L'aereo era ancora lì, anche se si erano già imbarcati tutti – aspettava solo noi.

■ 14 *vedi pagina 64.*

■ 15 **(Ugo e Piero)** *(pag. 67)*

U Quest'anno vorrei fare qualcosa di diverso. Kitesurf per esempio. Mi piacerebbe imparare, vorrei prendere qualche lezione.
P Kitesurf? Ma è difficilissimo! Non sapresti da dove cominciare – e poi le lezioni costerebbero un occhio.
U Per una volta non importa. Perché non vieni anche tu?
P A pensarci bene, piacerebbe anche a me, anche se forse avrei un po' di paura.
U E allora, io potrei iniziare con le lezioni e tu potresti osservare un poco prima di cominciare, per farti un'idea. Sarebbe bellissimo, no?
P E dove si andrebbe?
U Non so ancora, dovrei guardare sull'internet. Ho sentito di un posto sul Lago Trasimeno ...

Unità 4

■ 1 *vedi pagina 71.*

■ 2 *(pag. 73)*

Qui non si batte la fiacca! Ecco la classica frase del mio capufficio. Però sento che oggi non funziona più. Perché? Il timewasting, la perdita di tempo insomma, a quanto pare è una pratica piuttosto diffusa nelle alte sfere aziendali: ci sono manager con stipendi a quattro zeri che, tra un videogioco e l'altro, passano su Internet buona parte della giornata di lavoro. Proprio così. E mentre loro navigano, le società affondano. Non sto parlando della maggior parte delle aziende, sarebbe un'esagerazione, ma il fenomeno esiste e i giornali cominciano a parlarne. È un fatto ormai che i top manager di oggi non sono efficienti come quelli di una volta – anzi. Dirigenti strapagati e società in difficoltà: ecco un binomio sempre più frequente.

Ma diciamolo pure, la vera 'fannulloneria' è anche un'arte. Molti artisti e pensatori hanno nobilitato questa sublime attività. Non diceva forse Oscar Wilde che il lavoro 'è il rifugio di coloro che non hanno nulla di meglio da fare'?

■ 5 **(Carla)** *(pag. 77)*

- Buongiorno Signora Sciannini. Prego, si accomodi.
- Grazie ... Però, scusi sa, io non mi chiamo Sciannini ... mi chiamo Schiannini.
- Oh, mi scusi – Schiannini? Come si scrive?
- Savona Como Hotel Imola Ancona Napoli Napoli Imola Napoli Imola.
- ...Imola. Grazie. Mi dica, di dov'è lei esattamente? Vedo che ha un cognome italiano.
- Sono di Londra. Sono inglese – ma i miei genitori sono italiani.
- Ah – infatti – il suo italiano è perfetto! Lei parla altre lingue?
- Ho studiato italiano e spagnolo con Business all'Università Bocconi di Milano – mi sono laureata nel 1997. Ho preso poi il diploma di traduttrice dell'Institute of Linguists e ho passato due anni in Spagna a Zaragoza lavorando per il servizio estero della BBC – dal 1998 al 2000. Quindi lo spagnolo, oltre l'inglese, è la mia seconda lingua. Naturalmente capisco anche il francese, che trovo facile.
- Interessante...E dove vive adesso?
- Attualmente abito a Londra, ma ho molti contatti a Varese e sto pensando di trasferirmi definitivamente da quelle parti – Varese o, meglio, Milano che è vicinissima.
- Dunque, lei ha 32 anni vedo, ed è sposata. Suo marito è italiano?
- No, non è italiano, è inglese. Si chiama Robertson.
- E a lui piace l'Italia?
- Si – moltissimo. Adora vivere in Italia.
- In Italia lei ha viaggiato molto?
- Direi di sì. Abbiamo vissuto in Italia dal 2001 al 2004, e sono stata un po' dappertutto, a Torino, a Genova, a Roma, e in Sicilia. Principalmente per lavoro, ma anche in vacanza. Sia io che mio marito amiamo viaggiare.
- E qual è il suo lavoro attuale?
- Sono ricercatrice per la RAI

(la Radio Televisione Italiana) dal 2003. Mi occupo di programmi inglesi e sono basata a Londra. Però ora preferirei occuparmi dell'Italia dall'Italia.
– Posso chiederle quanto guadagna al mese?
– Il mio stipendio è di 2.350 euro al mese.
– Dica, lei per il suo lavoro fa delle interviste?
– Sì, molte. Mi piace pensare alle domande che farò, mi piace in particolare intervistare la gente per strada. Mi interessa la politica e quello che pensa la gente.
– E vedo anche che fa traduzioni.
– Sì, traduco programmi dall'inglese, in particolare, su questioni ambientale.
– Bene – Senta, ha mai fatto l'interprete?
– Sì, certo, quando vengono attori e registi inglesi, americani, australiani, faccio sempre l'interprete.
– Lo fa volentieri, l'interprete?
– Sì, mi piace molto e sono anche molto brava...
– Benissimo. Grazie Signora Schiannini. È tutto. Le telefoniamo domani.
– Grazie a lei. Arrivederla.

■ 7 *(pag. 81)*

Valeria Vicentini
Mi piace viaggiare in Italia e all'estero. Sono single da un pò di tempo e mi va bene così. All'università farò medicina, l'ho deciso da tanto tempo e poi è una tradizione di famiglia. Mi iscriverò a Torino così sarò vicino alla famiglia e agli amici.

Federico Rispoli
Ho 18 anni e voglio imparare a guidare. Amo il calcio e tifo Milan. Non fumo. Per me contano molto gli amici. La ragazza non ce l'ho e non ci penso. Vorrei studiare Scienza della Comunicazione con specializzazione in giornalismo. Leggo molto i giornali italiani e francesi online.

Massimo Bortoli
Dopo la maturità voglio studiare Economia e Commercio, perchè il mio sogno è entrare in un'azienda e diventare un manager. Vorrei iniziare a lavorare presto, ma penso che prima sarà necessario completare la laurea con un master all'estero. Sono sicuro che con una laurea in economia non avrò difficoltà a trovare un posto.
Vorrei viaggiare molto. Il matrimonio lo vedo lontano,

tra i 30 e i 40 anni. Prima voglio viaggiare e divertirmi con gli amici.

Franca Fini
Sogno di fare l'archeologa, anche se ho già in tasca il diploma di ragioniere programmatore. Ma la novità è che mi è sbocciata una irresistibile passione per la storia antica e il latino. I miei sono preoccupati che questo mi distolga da un futuro concreto. Io acciufferei al volo un lavoro per pagarmi gli studi.
Sono fidanzata con un mio coetaneo. Mi piacerebbe avere una famiglia, ma al momento penso a studiare.

Elena Marini
Dopo il liceo vorrei iscrivermi a giurisprudenza: mi appassiona il diritto, la difesa dei più deboli. Il mio sogno è entrare in polizia o in magistratura. Il tempo libero lo passo con gli amici. Non ho un fidanzato, sono single per scelta. Credo nel matrimonio, ma non è nei miei obiettivi.

Luciano Scipioni
L'amicizia è la prima cosa in cui credo. Per me è fondamentale. Quando mi sposerò in un futuro abbastanza lontano, voglio una famiglia molto numerosa. Tre mesi fa il futuro mi metteva quasi angoscia, finita la scuola, non sapevo cosa fare. Poi ho scelto: farò la laurea in scienze motorie. I miei hanno una palestra e nel futuro potrei dirigerla io. La laurea è importante perché bisogna essere preparati per un lavoro di grande responsabilità.

■ 8 (Irene Parenti, (11 anni, e Marina) *(pag. 85)*

M Do you speak English?
I Sì, pero non moltissimo. So abbastanza … (ho) un livello abbastanza buono per la mia età, perché ho iniziato a parlarlo molto presto – quando avevo 7 anni.
M Aspetta – Quando hai cominciato?
I In seconda elementare.
M A scuola o a casa?
I A scuola, a scuola.
M E come l'hai imparato? Perché adesso lo parli abbastanza, no?
I Sì abbastanza … L'ho imparato innanzi tutto parlando molto frequentemente – molto spesso – inglese con la mamma, con la mia insegnante. Poi, in questi ultimi due anni, andando in Ighilterra. Poi ascoltando persone che parlavano in

inglese e parlando con queste persone ... e ascoltando anche vari nastri che ... praticamente didattici ... che insegnavano appunto le forme più semplici, le regole più semplici dell'inglese.

(Massimo Parenti e Marina)
M So che usi l'inglese per lavoro, Massimo. Come hai imparato l'inglese?
MP Mah...il mio inglese è veramente orribile, perché non l'ho imparato a scuola, l'ho imparato un po' come autodidatta, preparando gli ultimi esami all'università.

(Elena Zagni e Marina)
M Elena, tu sai l'inglese e ... pensi che sia importante sapere le lingue oggi?
E Secondo me conoscere delle lingue straniere al giorno d'oggi è fondamentale. Per questo motivo sono dodici anni che studio inglese, e ho intenzione di continuare facendo... frequentando probabilmente un corso per traduttrice, finita la scuola. E penso che sia importante per diversi aspetti, soprattutto per il lavoro, in quanto in Italia conoscere l'inglese è importantissimo.

(Michael e Marina)
M Senti Michael, quante lingue parli?
ME Ma, parlo francese e italiano, poi un poco di tedesco, russo e spagnolo...e inglese – sicuro, l'inglese è la mia lingua madre – e qualche parola di cinese.
M Persino il cinese!
ME Be', a me non piace andare in un paese senza parlare almeno qualche parola della lingua. Quando sono stato in Cina, all'inizio era come stare su un altro pianeta. Però dal momento in cui dici solo due parole la gente comincia a sorridere, sono accoglienti ...
M E l'italiano – lo parli così bene – come l'hai imparato?
ME Be', ho seguito un corso all'Università per stranieri a Perugia, per tre mesi, molti anni fa – e poi ho avuto una ragazza italiana, che questa aiuta molto ...

(Dominique)
D Mi chiamo Dominique. Io sono belga e per imparare l'italiano sono andata a lavorare in Italia – ho fatto l'addestratrice di cavalli, cavalli da corsa, in una bellissima azienda vicino Roma per due anni – poi ho incontrato Agostino e ... e ci siamo sposati.

Unità 5

Focus *(pag. 90)*

Federica, 17 anni
Certo che ci credo. Sarei sciocca a dire di no. Se non si crede al futuro e agli orizzonti aperti non si va avanti. È limitativo vivere solo in Italia e pensare solo all'Italia, ed è sempre una cosa positiva che un giovane si senta parte di una dimensione più grande. Per me, il nostro paese non può esistere da solo. Io però sono un'idealista ...

Dario, 18 anni
L'occupazione viene prima. Io sono convinto che l'Europa darà più opportunità ai giovani. Grazie alle lingue che studiamo, oggi abbiamo più possibilità di conoscerla da dentro. Il vero passo avanti per l'Unione Europea sarà la creazione di nuovi posti di lavoro. Penso però che una vera integrazione culturale sia a dir poco difficile secondo me, ci vorrà tempo per svilupparla.

Marta, 18 anni
Per ora si sono fatti molti discorsi sull'Europa ma i frutti non si sono ancora visti, e per questo c'è scetticismo. Con l'allargamento a 25 paesi, extend penso anch'io che sia difficile integrare culture e economie così diverse. Bisogna soprattutto che si faccia qualcosa per l'occupazione, o ci seranno problemi. employment

Fabio, 17 anni
Io invece credo che l'allargamento sia una cosa positiva. Perché fare un'Europa unita solo a metà? Certo ci saranno difficoltà, perché molti paesi non sono in una thriving situazione economica florida. Però è un fatto emozionante.

Silvia, 18 anni
Dopo tutti i pro e i contro, secondo me è comunque meglio che ci sia un'Europa unita nel futuro, e che non emergano nazionalismi. Con scuole come la nostra è più facile sentirci culturalmente europei.

2 **(Abele e Serena)** *(pag. 93)*

A Tu che ne pensi, troveranno una cura per l'AIDS?
S Beh, penso proprio di sì.
A Io invece non ne sono tanto sicuro… Andiamo avanti. Vediamo, pensi che vivremo più a lungo, nonostante l'inquinamento eccetera? fino a cent'anni? Oggi si parla addirittura di 120 anni …
S Be', centoventi no ma novanta sì, assolutamente.

A Dici? Così, in media?
S Tutti tutti no, diciamo quelli che oggi arrivano a 70 ecco.
A Mah, personalmente non è un'idea che mi attiri molto, questa di vivere così a lungo! Un'altra domanda: secondo te ci sarà un'unica religione mondiale?
S No, questo non lo credo proprio, figuriamoci. imagine that
A Neanch'io. E un governo universale?
S Eh, magari. Chissà … Questa sì che potrebbe essere una bella cosa! Non ci sarebbero più guerre! Chissà … Tutto è possibile.
A Ma va! Non ci arriveremo mai. O almeno, io non ci credo proprio.
E dimmi un po' – che ne pensi dei viaggi spaziali? Ci saranno viaggi interplanetari per tutti?
S Io dico di sì. In questo secolo, di sicuro. E quanto mi piacerebbe andarci!
A A me no, per carità. Mi fa orrore solo pensarci, stare lassù al freddo, con tutto quel buio, che vacanza è? E parlando di viaggi, a tuo parere le macchine continueranno ad andare a benzina?
S Eh no, la benzina sarà finita a quel punto, ma non sarà un problema, andranno a elettricità, chissà, troveranno qualcosa.
A E una cura per il raffreddore, la troveranno?
S Il raffreddore? Mi pare di aver sentito che l'abbiano già trovata. Certo. E anche per il cancro, prima o poi la troveranno.
A Insomma, secondo te nel complesso staremo meglio, peggio – o proprio come adesso?
S Di sicuro meglio. Con la tecnologia e l'esperienza che abbiamo oggi, dovrà andare tutto meglio, non credi? Più in là non so.

■ 3 *(pag. 94)*

1 – Dove sarà Roberto? Doveva venire alle nove. Che starà facendo?
– Sai che tipo è. Sarà andato al bar a fare due chiacchiere.
2 – Conosci il fratello di Fiorenza?
– L'avrò visto un paio di volte, ma non me lo ricordo.
3 – Hanno suonato alla porta.
– Sarà Antonia.
4 – Non ho l'orologio ma saranno le undici, penso.
– Ah, meno male. Pensavo che fosse più tardi.
5 – Quei due vicino alla porta, non li ho mai visti prima.
– Saranno gli amici

australiani di Massimo.

6 – Questo gelato è semplicemente squisito.
– L'avrà fatto Ugo con quella sua macchinetta misteriosa.

7 – Vedi quel tipo che parla con Marta? – È un famoso attore. Avrà almeno sessant'anni.
– Chi l'avrebbe detto? Se li porta magnificamente.

8 – Hai idea dove sia il vino?
– Non lo vedo da nessuna parte. Sarà già finito.

9 – Fabrizio è tutto bagnato. Che gli sarà successo, mi chiedo.
– Avrà preso la pioggia, tutto lì.

10 – Sai niente di Angela? Non si è fatta sentire. So che doveva andar via per lavoro questo weekend – in Germania mi pare.
– Ma allora sarà già partita.

■ 4 (Presentatrice e Gianni Maritati) *(pag. 96)*

P E ora ci colleghiamo con l'Osservatorio astronomico di Monte Mario a Roma che oggi è aperto straordinariamente al pubblico. Là c'è Gianni Maritati. Gianni? Ecco.
GM Quella che stiamo vedendo in diretta è ormai l'ultima fase dell'eclisse parziale di sole. L'ombra si sposta a una velocità impressionante (l'ombra naturalmente è quella della luna…che la luna proietta sulla terra) – pensate, circa 3000 km all'ora. L'ultima città in Italia toccata dall'eclisse è Lecce, dove il fenomeno terminerà alle 14.21. Il tempo qui è stato veramente clemente – possono partire le immagini – In tanti sono venuti qui all'Osservatorio Astronomico per godersi lo spettacolo – tutti muniti di speciali occhialetti, binocoli, telescopi con filtri solari. Nel momento di massimo oscuramento, che qui a Roma è stato alle 12.42 (83%), si è alzato un po' di vento. Anche Roma col naso all'insù questa mattina per non mancare all'appuntamento astronomico di fine millennio. Un filtro da 2000 lire e tanta meraviglia, magari standosene comodamente sul bordo della piscina:
– È bellissimo – Una sensazione stupenda.
– Mi fa una grande emozione.
– Stupefacente!
– Beautiful, bellissimo.
– Beh, è un bello spettacolo, anche considerando che è l'ultima del millennio.
GM L'eclisse nella capitale si è potuta osservare solo in parte.

I più anziani ricordano come nel '61 fu un fenomeno assolutamente diverso.
– Ero in Egitto, e a un dato momento il cielo si è oscurato. E veramente abbiamo avuto un'impressione molto strana, quasi di timor panico, non lo so. È stata un'impressione... veramente incredibile.
– Diversa da questa.
– Diversa senz'altro da questa.

■ 6 *(pag. 98)*

– Alta stagione del divertimento. Egizia Elite disco estate. Il nuovo grande spazio all'aperto, attrezzatissimo, discoteca, piscina con scivolo gigante. Tutto il necessario per un divertimento esagerato. Egizia Elite disco estate. Godetevi una stagione piena di ritmo. Musica fantastica, colori giovani e amici straordinari. Viale dei Flavi 32, Rieti, Salaria-Nuova. Egizia Elite disco estate.
– Per le tue cerimonie scegli un bel parco e scegli il meglio in cucina e organizzazione. Il Montagnone, cucina locale e internazionale. Carne alle brace, antipasti vegetali. Il Montagnone, ristorante pizzeria con forno a legna, ideale all'aperto per le pizze d'estate. A 10 minuti da Terni, il Montagnone, con aria condizionata, parcheggio e parco giochi per bambini. Strada dei Pini, località Santa Lucia. Narni. Telefono 715282.
– Oh, stasera andiamo alla grotta gialla, rossa, è la grotta rossa, ah sì, rossa, va bene. Il bar, pub, pizzeria, ad Acqua Sparta c'è una bella terrazza per mangiare all'aperto, la pizza è buona, cotta a legna, si sta bene alla grotta azzurra,...e dai, è rossa, grotta rossa, ... sì, sì, rossa, va bene. Venerdì e sabato c'è musica dal vivo. Segnati l'indirizzo: Acqua Sparta, Via Galilei 9. La grotta verde, rossa, ma sei sorda ... rossa, ah sì, rossa. Allora prenotiamo? 930369...la botta rossa...grotta rossa, la grotta rossa...e bè...che ho detto io?
– A settembre riapre al Galoppatoio lo spazio più vibrante dell'estate romana. Concerti dal vivo, cinema, discoteca, cultura, mostre ed inoltre un megapub all'aperto per le vostre magiche serate romane.

Sole, sapori e suoni. Dal 2 settembre al Galoppatoio di Villa Borghese. Una produzione Compagnia delle Indie.

■ 7 *(pag. 99)*

– Non perdere anni scolastici. All'Istituto Parrini puoi recuperare un anno scolastico in solo sei mesi con insegnamento individualizzato e personale qualificato. Istituto Parrini. Recupero anni scolastici con corsi diurni, serali, festivi. Scuole medie, ragioneria, magistrali, geometri, maestra d'asilo, liceo classico/ scientifico/ linguistico, perito agrario/ industriale/ informatico e elettronico, odontotecnici, istituto tecnico femminile. Istituto Parrini. La scuola su misura per te. Via Tre Monumenti 28, Terni. Telefono: 0744 418256

■ 9 **(Gianni e Giovanna)** *(pag. 104)*

G Gianni, che effetto ti hanno fatto queste fotografie di Toscani?

GIA Le immagini in sé non mi hanno provocato nessun turbamento particolare. Immagini di questo tipo noi ne vediamo quotidianamente alla televisione, nei giornali, nei mezzi d'informazione, quindi non c'è stato nulla di scioccante per me. Mi lascia abbastanza perplesso il fatto che queste immagini vengano, in sostanza, utilizzate per una campagna pubblicitaria e quindi (forse sarà una reazione di tipo moralistico da parte mia), ma trovo che ci sia come un accostamento del sacro al profano, ecco, quindi trovo che ci sia una certa ipocrisia in questa operazione. Quindi se Benetton avesse deciso, senza far apparire il proprio nome, avesse, deciso di sponsorizzare delle campagne mirate su problemi, tipo problema del razzismo, i problemi della guerra e problemi dell'ambiente, per me avrebbe fatto molto, molto bene e avrebbe avuto effetti molto positivi. Il fatto che compaia un nome che ha fini ovviamente commerciali, mi lascia molte perplessità.

(Sergio)

G Sergio, cosa pensa di questo tipo di pubblicità?

S Io non mi scandalizzo alle campagne pubblicitarie, francamente, anche perché ormai la pubblicità la vedi dappertutto. Comunque,

ritengo che Toscani sia un ottimo fotografo, per cui mi piacciono le sue fotografie, anche quando le usa per la pubblicità. Senza dubbio sono fotografie che turbano chi le vede, ma soprattutto turbano le persone che hanno molti pregiudizi e che non vogliono vedere quello che sta intorno a loro, appunto come l'AIDS, la miseria, il razzismo, la fame, la mafia … e questi sono turbati … Poi, che Benetton sia abile a vendere i suoi prodotti attraverso un abile fotografo, questo è nella natura delle cose, del commercio. Può anche dare fastidio, ma non più di tanto.
Fondamentalmente vorrei vedere sempre delle belle immagini, piuttosto che delle brutte immagini che sono molto banali e che sono offensive proprio per il cattivo gusto e il messaggio fondamentalmente reazionario o addirittura qualunquista che producono con la loro fotografia, con la loro reclame. Quindi, personalmente, trovo che siano, alcune di queste fotografie, molto belle e che Benetton faccia molto bene a servirsi di una persona brava come Toscani.

(Mirella)
G Cosa pensa di questo tipo di pubblicità, Mirella?
M Ma, io personalmente non sono d'accordo, perché secondo me Benetton è un imprenditore e cerca di attirare l'attenzione nel settore in cui lavora. Chiaramente lui vuole vendere, vuole vendere i suoi vestiti, i suoi golfetti, la sua marca, per cui è entrato in un settore che non è per niente di sua competenza…per cui per me lui sfrutta i mali del nostro paese, la mafia, il nostro paese e anche di tutto il mondo, l'AIDS, per vendere e secondo me non è positivo… Lui giustifica questo suo atteggiamento con il fatto che vuole portare la gente a comprare da un lato, ma anche a pensare ai mali della società. Però, secondo me un imprenditore…comunque il suo fine è quello di vendere, di guadagnare tanto, per cui…no, io non sono per niente d'accordo con lui, assolutamente. Oliviero Toscani è un ottimo fotografo e sicuramente non ho niente da ridire, ha fatto delle bellissime foto per Benetton e quelle che ha fatto fino all'anno scorso, le classiche con i bambini di

colore, con i bambini bianchi sono favolose e poi quelle con le suore, i preti...sono molto simpatiche. Prima il suo scopo era quello di combattere il razzismo, di combattere certi atteggiamenti e pregiudizi e poteva essere sicuramente un aspetto positivo, però il fatto di cercare di vendere sfruttando e commercializzando i mali della società, non l'approvo per niente.

Unità 6

■ 4 *vedi pagina 115.*

■ 5 *vedi pagina 116.*

■ 7 *vedi pagina 118.*

■ 8 *(pag. 119)*

Recentemente l'Unione Europea ha superato gli Stati Uniti negli acquisti online, che in un anno sono aumentati del 75%. E nel 2007 la spesa media su Internet per l'Europa dovrebbe passare dagli attuali 380 euro a testa a più di 700. Sebbene abbia almeno 20 milioni di utenti Internet, che spendono in media più di 2 miliardi e mezzo di euro all'anno, l'Italia non può ancora competere con la Gran Bretagna. I navigatori inglesi infatti spendono più di 7 miliardi di euro in rete (uno su 4 compra qualcosa), grazie anche alla maggior diffusione della banda larga. Il commercio elettronico ha spiccato veramente il volo nel nostro paese verso la fine del 2004: oltre 15.000.000 di navigatori hanno infatti visitato le vetrine dei negozi virtuali dei siti italiani di e-commerce e 1.200.000 ha fatto acquisti in rete.

Cosa si vende di più in Internet? I viaggi fanno la parte del leone con il 30% della spesa totale. La vera novità è proprio nel settore alimentare. Finora gli italiani si erano limitati a comprare sul web soprattutto viaggi, libri e dischi. Adesso cominciano a sedersi di fronte al computer per ordinare la spesa settimanale, che oggi infatti rappresenta l'11% del mercato italiano.

■ 9 *vedi pagina 121.*

A prendere piede per prima è stata l'idea dei 'Parchi letterari' – itinerari regionali Da Nord a Sud tra luoghi e atmosfere di autori famosi: la Lombardia di Manzoni, la Sicilia di Lampedusa o Pirandello, Le Marche di Giacomo Leopardi o l'Abruzzo di Gabriele

D'Annunzio. Sono un'altra faccia delle 'vacanze intelligenti' iniziate negli anni '90 e godono di grande popolarità.
L'idea del turismo surrealista arriva invece direttamente da Londra dove è recentemente uscita la Guida al Viaggio Sperimentale della Lonely Planet. Sono viaggi insoliti, da decidere tirando i dadi e spostandosi sull'atlante come nel gioco dell'oca oppure seguendo l'itinerario che in una città collega la prima strada che inizia con la A all'ultima che inizia con la Z. Tra le 40 idee sperimentali: passare 24 ore in un aeroporto senza prendere aerei ma usufruendo di tutti i servizi della struttura; oppure raggiungere con il proprio partner la stessa città ma usando diversi mezzi di trasporto e poi cercare di incontrarsi senza usare il telefonino. Uno degli autori dichiara di averlo fatto diverse volte e che il momento dell'incontro regala sensazioni fantastiche. Un'idea per i nottambuli è invece quella di arrivare in una località la sera, girare senza meta tutta la notte e ripartire la mattina seguente.

■ 10a *(pag. 122)*

– Di professione faccio il postino, mia moglie è un'impiegata assicurativa. Abbiamo due bambine, una di sei e una di tre anni.

Alle sei e mezza suona la sveglia. Ci prepariamo per andare a lavorare. Io comincio alle sette e mezza. Mia moglie comincia alle 8. Di conseguenza lei porta alla scuola, la scuola materna, le bambine – poi io andrò a prenderle nel pomeriggio.

Mensilmente in casa entrano due stipendi, e alla fine del mese non è che ne resti molto. Ma non mi posso lamentare. So che tanta gente se la passa molto peggio. Sul piatto della bilancia c'è una buona retribuzione forse, ma anche una pessima vita.

LEI Quando si lavora in due, si deve correre.

LUI Non ci manca niente ma bisogna vedere a che prezzo.

LEI La qualità della vita dovrebbe essere superiore, ecco.

LUI Ci piacerebbe anche avere un po' di tempo per stare tranquilli … Una giornata completamente … non dico per noi stessi, ma per noi due … non esiste più da tanto tempo.

LEI Si arriva a casa la sera, si prepara la cena, si mangia, le si mette in pigiama, le si lava eccetera. Dopo di che, il più delle volte si addormentano da sole, magari anche sul tappeto. E noi di lì a poco le seguiamo.

■ 10b *(pag. 122)*

– Lavoro in Posta da circa 6 anni... Ultimamente il lavoro del postino non è più quello di qualche anno fa. Non c'è più il postino alla Troisi, per intenderci. Non c'è più il tempo di raccogliere le confidenze della gente. La mole di lavoro è importante, bisogna correre...

Le lettere vanno consegnate in giornata. Non c'è più la lettera di una volta. Arrivano moltissime lettere di banche, di assicurazioni, di enti. La gente preferisce scrivere cartoline – forse non vuole più mandare souvenir e regali, se la cava con una più economica cartolina.

Praticamente sono un postino di campagna. Servo 450 famiglie. Ogni giorno percorro circa 50 km e recapito circa 35 chili di posta. Tra le prime consegne c'è questo piccolo insediamento di extracomunitari. Per loro la posta naturalmente è molto importante, perché è un legame con gli affetti lasciati nella loro madrepatria.

Unità 7

■ 1 *vedi pagina 133.*

■ 2 *vedi pagina 134.*

■ 5A **(Prima parte)** *(pag. 139)*

– Era un pomeriggio di febbraio – il 24...25 febbraio del '88. Lo ricordo con esattezza perché ero appena diventata nonna ... Mi hanno invitato a fare una partita a canasta nel pomeriggio. Era una vecchia casa nel cuore della città – una vecchia villa con un gran giardino intorno – freddissima, senza riscaldamento. Ci abitavano due vecchie signore e un figlio di una terza sorella – un uomo più vicino ai quaranta che ai trenta, che ci vedeva molto poco, portava un paio di occhiali molto spessi. Questa signorina che mi ha invitato apparteneva a una delle migliori famiglie della città.

Quel pomeriggio siamo arrivati alla casa alle 4, come facevamo sempre quando giocavamo. Eravamo in quattro: Elisa, la padrona di casa, intorno ai 70 anni, Maria, una signora molto ricca, la mia amica Vera e io. Erano tutte più anziane di me, signore molto eleganti. La stanza era freddissima, c'era solo una stufa a gas.

Ci siamo sedute a giocare, e verso le 5 e mezzo-sei Elisa ci ha portato il tè con le tartine – su un vassoio d'argento grandissimo, lo ricordo perfettamente, con in mezzo lo stemma di famiglia, perché tutta la loro argenteria era così.

A un certo punto …

■ 5b (Seconda parte)

(pag. 140)

– A un certo punto abbiamo sentito un tramestio nell'altra stanza, delle voci concitate … All'inizio abbiamo fatto finta di niente, per discrezione – stavamo zitti. Poi c'è stato un urlo, un tonfo: a questo punto ci siamo guardati in faccia e Elisa si è alzata e ha aperto la porta. E abbiamo visto: la vecchia signorina per terra che le usciva il sangue dal naso; il nipote senza gli occhiali che praticamente era cecato, vicino a lei; e abbiamo visto il bandito con la pistola in mano, puntata a due mani, e il fazzoletto sul viso.

Io ero ancora dietro il tavolo, e la prima cosa che mi è venuta in mente è stato sfilarmi l'anello col brillante che avevo sulla mano sinistra e farlo cadere là dove appoggiavo la mano. Intanto il bandito aveva radunato tutti gli altri nell'ingresso.

Io sono rimasta lì impietrita vicino al tavolo. Quello mi si è avvicinato, mi ha preso per il braccio e ha detto 'Andiamo di là', e io ho detto 'Mi sento male…il cuore…' e puff! mi sono buttata per terra. Il bandito, che dopo tutto è anche lui un uomo, a vedersi questa donna cascare per terra, se n'è andato e mi ha mollato. Io, messa lì per terra, non mi davo pace … Ho sentito l'aereo che partiva alle 7 meno dieci; ho sentito le campane del vicino convento delle suore che suonavano le sette. Faceva un freddo da morire. A un certo momento ho aperto un occhio, ho visto che nessuno mi vedeva, mi sono velocissimamente sfilata la collana, ho alzato il tappeto e l'ho buttata là sotto. … … …

■ 5c (Terza parte)

(pag. 141)

– Intanto i due hanno preso un grande lenzuolo e l'hanno riempito – ho ancora nelle orecchie il suono di tutta quell'argenteria raccolta come se fosse latta, hai capito, tutta insieme nel grande lenzuolo...Io zitta, non ho detto neanche una parola. Ci hanno levato le cose, hanno svuotato le borse. Dopo di che ... ci hanno chiuso tutti insieme dentro il gabinetto, una specie di stanzino in fondo al corridoio. 'Chiudetevi dentro!' A questo punto abbiamo cominciato tutti a tremare – io seduta sul cesto dei panni sporchi, Vera in braccio a me, stretti come le sardine!

Dopo un quarto d'ora, mezz'ora, Elisa fa 'Ma che dite, non ...'. Allora, aprendo la porta del bagno 'C'è nessuno?' Siamo usciti di lì quatti quatti, morti di paura. Abbiamo trovato l'ira di Dio, tutte le nostre borse svuotate, s'erano presi tutti i soldi...Io mi sono precipitata sul telefono, ho chiamato mio figlio; 'Ci hanno rapinato'. Dopo cinque minuti c'era polizia, carabinieri, questura, mio figlio, mia figlia...E noi che parlavamo tutti insieme perché ognuno voleva raccontare la sua versione!

Io l'unica cosa che mi ricordavo, unica e sola, erano gli occhi di quello col fazzoletto sul viso...e la testa bionda di quello che sembrava essere il capo, che aveva un caschetto di capelli biondi, sai, come quelli dei bambini.

■ 11 *(pag. 145)*

(Giovanna)

– Come hai smesso di fumare, Giovanna?

G Ho smesso da un giorno all'altro. Era tanto tempo che volevo smettere, sapevo che fumare non mi faceva bene, avevo spesso raffreddori e bronchiti. Insomma, alla fine ho deciso 'Domani smetto di fumare' e il giorno dopo ho smesso. Era domenica e sono andata a fare lunghissime passeggiate per tutto il giorno per distrarmi. Non è stato facile, ma ce l'ho fatta.

(Anna)

– È stato facile per te, Anna?

A Ho provato a smettere diverse volte. Con amici, con le pillole, il cerotto. Smettevo per qualche mese e poi purtroppo ricominciavo. Poi un giorno, anzi una sera, ho visto in televisione un documentario sui danni del fumo e mi sono veramente spaventata. Allora ho deciso che dovevo assolutamente smettere. Ho riprovato ancora con le pillole e credo di esserci riuscita questa volta, perchè ora mai è più di un anno che non tocco una sigaretta.

(Piero)

– E tu, Piero, sei riuscito a smettere?

P Ho provato a smettere di fumare un'infinità di volte e non ci sono mai riuscito. Ho provato le pillole, l'ipnosi, i viaggi, ho provato a smettere con un amico…Niente da fare, non ci riesco…non so più cosa provare!

Unità 8

■ Focus *(pag. 151)*

D Secondo lei, a che età bisogna avere il primo figlio?

1 Il più tardi possibile!
2 Verso i trent'anni…Uno si realizza e può avere una famiglia.
3 Io direi intorno ai 24, 25 anni.
4 I padri e le madri più anziani, più maturi, forse sono migliori.
5 Non è che ci sia un'età particolare – Dipende dalla maturità della persona.
6 Prima sicuramente devo trovare un marito che mi vuole bene.
7 Non ho tempo – Non ho tempo neanche per me! Lavoro dalla mattina alla sera.
8 Io ce l'ho avuto a 20, però oggi come oggi non lo rifarei.
9 30, 32, 33 – non prima.
10 Il tempo per fare i figli non c'è però io dico. 'Fateli sennò non insegno!'

■ 1 *vedi pagina 152.*

■ 7 *vedi pagina 162.*

■ 8 *vedi pagina 164.*

Audio content

The *Contatti 2* audio material consists of two CDs, as follows:

CD 1

Unità 1: tracks 1–8
Unità 2: tracks 9–15
Unità 3: tracks 16–21
Unità 4: tracks 22–34

CD 2

Unità 5: tracks 1–9
Unità 6: tracks 10–16
Unità 7: tracks 17–24
Unità 8: tracks 25–28